ぼくは明日、昨日のきみとデートする

七月隆文

宝島社文庫

宝島社

目次

カバーイラスト	カスヤナガト
カバー・本文デザイン	山田満明
本文イラスト	七月隆文
Thanks	森崇光

プロローグ

一目惚《ぼ》れをした。

いつもの大学までの電車の中で、ぼくは唐突に恋をしてしまった。

京阪《けいはん》の丹波橋《たんばばし》駅から乗ってきた彼女は、開いたドアから朝のラッシュの人波として流れ込んできて、そうして流れるまま、車両のまん中あたりで吊革を持ちながら立つぼくの目の前に、来た。

彼女はそれほど背が高くないから、ぼくには顔がよく見えなかったのだけど、そのすとんと落ちる綺麗な髪や、可愛らしいけど品のいい服装や、何より全身からにじんでる空気が「すごくかわいい子の予感」をさせた。

ぼくはたしかめたいという好奇心から、ばれない程度に注目していたのだった。

ふと、彼女が顔を上げて、ぼくを見てくる。

はっとなった。

綺麗な瞳だな、という言葉が一瞬あとになって、追いついた。

絶世の美女というわけじゃない。でも少し和風の顔立ちは清楚で品があった。彼女はすぐにまた元のようになる。なんとなく自分の前にいる人を確認した。そういう仕草だった。

ぼくは、予感どおりかわいい子だったことにちょっとした満足を覚えつつ、同時に緊張した。

この瞬間は、ただそれだけだった。自覚がなかった。

『祇園四条《ぎおんしじょう》。祇園四条』

車内アナウンス。四条に着いて、何人かが降りようとする。

と、彼女は降りる人が通りやすいように体を動かし、移動する。それがとても上手で、かつ、まわりに細かく気を配っているのが伝わる振る舞いだった。

ああ、よく気がついて感じのいい子だな、と思った。頭もよさそうだ。

車内が空いたから、ぼくたちが近くにいる必要もなくなって、ほんのちょっと残念に思いつつ自然と離れた。

ぼくはドアのわきに寄って、窓越しに見えるトンネルの暗さをぼんやり眺める。

そのときだった。

ぼくは――「発症」した。

まさしくそう言うのがふさわしい。潜伏期間を経てから熱が出てくるように、ぼくの中でさっきまで見ていた彼女の印象が浮かんできて、離れなくなった。

「…………」

ぼくはちらりと、彼女のいる方を向く。

斜向《はすむ》かいのドアわきにもたれて、文庫本を読んでいる。

体の奥深くで、何かのスイッチが押された感触がした。

あわてて視線を戻す。見ていられない。全身の血の流れを意識して、息がしづらくなる。

やばい、やばい。

ぼくだって二十年生きてきたから、これがなんであるかはすぐにわかった。いよいよはっきりしつつあるこの状態に対して、ぼくがまず思ったことは、

――勘弁してくれ。

だった。

だってそうだろう?

これっきり、二度と会えないかもしれない人なんだから。

この電車を降りて別れたら、もう。

これが同じ大学とかバイト先の人だったらものすごく嬉しいことだけど、なんの接点もない、持てない相手をこんなに好きになってしまうなんて、もうなんというか

……本当にやめてほしかった。

『三条《さんじょう》。三条』

ドアが開く。ここで大勢降りる。彼女が降りてしまわないか、緊張が走る。

降りなかった。幸い、ぼくも降りる駅じゃない。

でも、終点の出町柳《でまちやなぎ》まであと二駅。

そして、ぼくは——……

終点で降りた彼女のうしろすがたを、絶望的な思いでみつめている。

出口へ向かう長い上りエスカレーター。片側に並ぶ人々に交じって、ぼくは彼女の五メートル下にいる。

何もすることができない。

いきなりそんな勇気、出せない。まわりに人だっているのに。

エスカレーターの先には、地上出口と叡山電鉄《えいざんでんてつ》の乗換口がある。ぼくはせめて、彼女がぼくと同じ叡山電鉄に乗ってくれることを強く祈った。

そして彼女は——叡山電鉄の改札をくぐった。

一瞬、喜びと安堵が広がる。

でも。

この電車の中も、人でいっぱいだ。

沿線には、ぼくの通う木野美大《きのびだい》を含め二つの美大があるから、いかにもな雰囲気や服装の人が多い。課題を入れているのだろうカルトンバッグを提げている人や、髪の色を含め、全身緑で固めた女子もいる。四月で一限の通学時間だから、新入生らしき人が目立つ。

だからここでも、見ていることしかできない。

二両編成のローカル電車が、いつもどおりに動きだす。

彼女は運よくぎりぎり座れたみたいで、まん中くらいにちょこんといる。

頭から手足まで綺麗にバランスよく整っていて、座っているたたずまいが、まわりと自然と違っていた。雰囲気があった。

そして、ぼくと同い年くらいに見えた。

——造形《ぞうけい》？　京産《きょうさん》？　……同じ木野？

どの大学だろう。彼女は美術系に見えたし、そうじゃないようにも見えた。

『茶山《ちゃやま》。茶山です。京都造形芸術大学《きょうとぞうけいげいじゅつだいがく》へお越しの方は……』

造形の駅に着く。学生たちがわらわらと降りていく。改札は基本無人だけど大学のある駅だけは通学時間、駅員が待機している。

ぼくは心臓をバクバクさせながら、彼女が降りてしまわないか、ちら見する。

降りない。

ドアが閉まり、チンチン、と二回ベルが鳴って電車が動きだす。

ほっとする。

でも、声をかけたいという思いと、大勢の前でそんなことできないという気持ちの葛藤で、苦しくて苦しくて……もういっそのことさっさと降りてしまって、ぼくを諦めさせてほしいという、苦痛から解放されたい衝動が湧いてくる。

『修学院《しゅうがくいん》。修学院です』

額がチクチクする。息苦しい。

よし――こうしよう。

彼女がぼくと同じ駅で降りたら、声をかけよう。

よし、よし。そうしよう。

ぼくは床に目を落としながら、心の中で何度もうなずいた。

『宝ヶ池《たからがいけ》。宝ヶ池です』

短い線だから、駅と駅の間が早い。

ここは、ぼくにとっては大学までのちょうど中間地点という認識の駅で、他の印象はない。

ドアが開いて、下宿生がぽつぽつと乗り込んでくる。逆にこの時間ここで降りる人は、ほとんどいない。

彼女が立ち上がった。

えっ——と声を出しそうになった。

彼女は学生たちの間をすり抜けて、電車の後部ドアに向かっていく。降りる客がいることに気づいた駅員が、切符を確認するために運転席からホームに出た。

ぼくは彼女や他の誰かに気づかれるという意識もなくして、降りていく彼女のうしろすがたを見ている。

目の前で起こっていることに何もできずに見ていることしかできないときの、空っぽな感覚。音の消えた意識。言語にならない瞬間の思考で、焦りと、喪失感と、安堵のようなものと、諦めが、重ね重ねになった。


ぼくは立ち上がった。


カバンを持って、学生たちの間をすり抜けて、電車の後部ドアに向かっていく。

視界に、駅員に定期を見せる彼女を映しながら。

普段こんなことしない。ぼくはしたことがない。

諦めていた。「かわいいな」「好みのタイプだな」くらいだったら、間違いなく諦めていた。そうしてきた。

それでそのときは「ああ……」となりつつ、少しあとに苦笑いして、昼食をたべる頃には忘れていただろう。

でもきっと、これは違う。

そういうのとは、度合いが違う。

この人だ、という直感がわけもなくあった。

必死に足を動かして車内の混雑を抜け、駅員に定期を見せ、地面と続きになったホームの短い階段を下りる彼女の背中を追う。

あのときの感覚に似ていた。高校の体育のサッカーで一度だけドリブルで飛び出してそのままゴールを決めた、あのときのまっ白さに似ていた。

「あのっ」

真後ろから声をかけたとたん、彼女のなだらかな肩がふわりと漣《さざなみ》をうつ。

……私かな?　というふうに振り向いてきた。

ぼくのことを多少覚えていたんだろう。瞳にそんな色が浮かぶ。

チンチン——ベルが鳴り、ぼくのうしろで電車のドアが閉じる。

遠のいていく車両の音を背中で聞きながら、ぼくはそれほど緊張を感じなかった。

一〇〇メートル走と同じように、走るまでがピークなんだ。

「えっと……」

ここまで言って、詰まる。

なんて言えばいいんだ。まず、なんて言ったらいいんだ。

秒単位で時間が過ぎていく。焦《あせ》る。ええと、ええと――そうだ。

「メ、メアド教えてくださいっ」

ぼくは再びスタートを切った。

彼女のまなざしが驚きに見開かれる。

止まらない。

「電車の中で見て、その……」

勢いのまま、思ったことが口に出る。

行くしかない。

「一目惚れしました！」

彼女の表情は動かない。と思うと、小さく唇が動く。「えっ」と言ったふうに見えた。

ぼくは視線を一瞬横に滑らせる。まわりには誰もいない。よかった。また彼女に目を戻す。

「いきなりでびっくりかもしれないけど、ほんとなんです。いや、ぼくもびっくりしたんです、ほんとに……」

思ったままましゃべってしまう。自分で思うよりすごいテンションになってしまってるんだろう。

彼女の緊張が緩んだのを感じた。

その顔に、微笑みの前の前くらいのものが朝靄《あさもや》のようにかすめた。

言うべきことが尽きて、ぼくは黙る。

すると彼女は、今度は自分が話さなくてはと思ったみたいに、体ごとこちらに向いてきた。

「ええと」

初めて聞いた彼女の声は、声までが美しかった。ぼくは感動してしまう。

「携帯電話、持ってないんです」

……え？

持ってないって珍しすぎ……ああ――ああそうか。

断られたんだ。

「――そ、そうっ」

ぼくは反射的に愛想笑いを出す。ごめんね、と言って去ろうと思った。

「あっ、違うんです」

彼女があわてたように、

「ほんとに持ってなくて……」

「……そうなんだ」

断られたわけじゃないんだろうか。ぼくは宙ぶらりんな気持ちのまま、

「珍しいね」

彼女は受け流すように、ほんの少し口角を持ち上げた。

あ、今のはよくなかったかな――ぼくは焦ってどうフォローしようかと考えると、

「あの」

彼女が言う。

「私、これから宝ヶ池に行くんです」

向かおうとしていた先を顧《かえり》みる。

幅の狭い道。そのわきには小さな自転車パーキングと、花を半分くらい残した桜が一本。

「ああ、池があるんだやっぱり。ここ降りるの初めてでさ」

それからぼくは頭をかいて、

「行ってみようかなぁ……」

白々しさがぬぐえない。

――そうじゃないだろ。

自分にダメ出しした。さっきの勢いを、がんばって再点火させた。

「ぼくも一緒に行っていいですか」

勇気を出して、まっすぐに彼女をみつめる。

「話したい、です」

ふいにあたりの静けさが耳に入った。

春の、今日も眠いほど暖かくなりそうな予感の日差しに、特に絵にもならない狭い駅前の景色がほんのり照らされ、そういう丸みを帯びた色の匂いがぼくの鼻をくすぐる。

そんな心地よい風景の中で、彼女はぴんと可愛らしく張りつめた表情をして、妙にかしこまった声で。

「はい」

と、うなずいてくれた。

ぼくは明日、昨日のきみとデートする

第一章

きみ

1

「ぼくは南山《みなみやま》、南山高寿《たかとし》」

「わたしは、福寿《ふくじゅ》愛美《えみ》です」

駅からすぐの国道らしき道を渡りながら、ぼくたちは自己紹介をはじめた。

「ふくじゅ？　どう書くの？」

「福笑いの福に、寿です」

福笑いのくだりをいじるべきか一瞬迷ったけど、

「あ、同じ字が入ってるんだね」

「え？」

「ぼくの高寿の『とし』が、寿なんだ」

「そうなんですか」

「偶然だよね」

「はい、わりと珍しい字なのに」

にこりとする。白くて綺麗な歯並びが見えた。

福寿さんはなにげなく前に向き直って、少し遠いまなざしで空を仰ぐ。

鼻筋がなめらかに通っていた。薄くてぴんと形のいい唇も、顎《あご》のラインも、頬も、ぜんぶがやわらかで品のある線で描かれている。

「いい天気だね」

　ぼくは何かを紛らすように話しかけた。

「あ——はい」

　福寿さんはまた、にこりとした。

　車道を渡ると、石橋に差しかかった。

「この川が、ずっと池まで続いてるんですよ」

　福寿さんが、川の続く方向を指す。

「途中の道に、細くちょろちょろ流れてる浅い水路があって、そこがなんか、いいんです」

　場を持たせようと気を配ってくれてるのがわかった。良い家の子なのかもしれないと、ふと感じた。

「ぼくは、この先にある木野美術大学ってとこに通ってるんだ」

「ああ、知ってます」

「そこのマンガ学科ってとこにいてさ」

「マンガ学科？」

「変わってるだろ？　日本でそこだけらしいんだけど、でもいわゆるマンガじゃなくて、カートゥーンってやつなんだ」

「カートゥーン」

「新聞に載ってる風刺画みたいなの、わかるかな？」

「なんとなく。見たことあるかも」

「それなんだ」

「変わってますね」

「うん。福寿さんは？　大学生？」

「美容師の専門学校に行ってます」

「じゃあ美容師になるんだ？」

「そのつもりなんですけど……うーん、ちょっと考え中です」

話していて、彼女のいちばんの美点は声なんじゃないかと思った。澄んでいて、やわらかくて、ねむくなってしまいそうに癒される。そう。彼女の全体の印象をひと言で表すなら、癒し、だった。

「きれい」

川辺の桜に彼女は目を細める。感じたままの素直な響きがした。

「今日来るとき、桜って不思議だと思ったんだ」

ぼくは言う。

「花が咲いて初めて『ああ、ここにあったんだ』って気づくっていうか。それ以外のときはぜんぜん意識しないなって」

すると彼女はぱっと目を開いて、

「たしかにそうですねー。そうだ」

そうだ、の言い方がとてつもなく可愛らしい。自分に言い聞かせるような、おどけた丸みのある響き。

ぼくは彼女を過小評価していたのかもしれない。

癒し系の見た目も、身につけているもののセンスも、気配りのできているところも、声も、しぐさから自然と出る愛嬌までも、ぜんぶに「完璧」というラベルが貼られていた。笑ってしまうくらい高嶺《たかね》の花だった。

ぼくの中で、今こうして彼女といることの実感が遠のきそうになる。

なんでうまくいったんだろう。大それたことをしている――そんな怖さがにじんできた。

そのとき、頰に視線を感じた。

振り向くと、福寿さんがじっとぼくをみつめている。

目が合っても、彼女はそのまま動こうとしない。せつないような真顔で、まるで絵のモデルを見るときの、印象を焼きつけようとするときに似たまなざしでぼくを捉えていた。

「……なに？」

福寿さんはごまかすように小さな愛嬌を覗《のぞ》かせた。

ぼくは息苦しいくらいどきどきして、

「あれが言ってた水路？」

「はい、なんだかよくありませんか」

「地面と同じ高さでこんなに水が流れてるんだ」

「桜の花びらが浮いてますね」

「うん」

あたりがどんどん公園らしい雰囲気になってきた。

新緑の木々に彩られたカーブを曲がっていると、犬の散歩帰りのおばあさんや、ランニングに向かうおじさんとすれ違う。

「ぼくの地元に山田《やまだ》池《いけ》公園ってのがあってさ、感じが似てる」

そんな話をしながら、池に着いた。

こういう池はたいてい、池っていうこぢんまりした感覚の言葉とはかけ離れた大きさをしていて、ここもなかなかのものだった。

低い山に囲まれた池はそのままランニングコースになっていて、渡された長い石橋の向こうに、京都国際会館の現代的な建築が見えた。

ぼくたちはコースの途中にある東屋に入った。

池に向かって洋館のバルコニーみたいなものがせり出していて、ぼくと福寿さんはその石の塀にもたれかかり池を眺めた。

水面が風に震えて、白い鱗《うろこ》模様を浮かべている。すぐ下に鯉《こい》が何匹も泳いでいた。

「鯉がいる」

「大きいよね」

彼女の口調が一瞬くだけたものになった。かと思った直後に。

「聞いてもいいですか」

静かで慎重な響きになる。

「どうしてわたしに……その………どこが」

ぼくは振り向く。一拍遅れて、彼女が目だけで返してくる。

率直に言うことにした。

「わからない」

それしかできないと思ったから。

「本能……だと思う」

彼女は黙って聞いている。ぼくは水面に目を落とし、

「この人だっていう直感が自分の中にあって、もう、行くしかないって思った。じゃないと、無理だったと思う」

引かれてないか不安になって、彼女をうかがう。

あのまなざしをしていた。

そこにあるものの印象を焼きつけようとしているような、不思議なくらい意味深なまなざし。

真剣に聞いてくれてるんだと解釈し、ぼくは勇気を奮《ふる》わせる。

「きみはすごくかわいくて、ぼくにはハードルが高いから……とても近づけなかったと思う」

「そんなことないよ」

少しかすれた声がした。

彼女は瞳の水面を震わせ、一瞬笑みを置いて、池の方に向き直る。

そして水中から顔を出すように上を向き、ゆっくりまぶたを閉じて呼吸した。

まるで、長い長い何かを終えたような息だった。たとえば秘境の踏破や長年の研究を成し遂げたような、過程を共有していない人には立ち入れないもの——そんな感覚さえ抱かせるたたずまいだった。

まぶたを開いて空を映す。儚《はかな》んでいるような、深く浸っているかのような。

ぼくは告白した手前、その静けさに耐えきれなくなって、

「ごめん、キモいかもしれないね」

彼女は、ううん、と首を振った。

ぼくの胸は期待と不安に膨らむ。

彼女が思い出したように腕時計を見る。小さい革バンドのシンプルで正統派な時計。彼女らしいと感じた。

文字盤を見た表情が、夕立のように曇る。

「用事？」

「うん」

差し迫った気配。すぐにでも行かなくちゃいけないようだ。

「ごめんね」

「いや」

申し訳なさそうに笑む彼女に、ぼくはなにげないふりをしてたしかめる。

「また会える？」

とたん。

彼女が、泣いた。

笑みから真顔に戻りかけた福寿さんのふたつの瞳から、ぽろぽろぽろっ、とすごい勢いで涙が落ちた。

「え、え、」

自分でも驚いているふうに目許《めもと》を押さえる。

その涙にようやく感情が追いついたみたいに、彼女がくしゃりと顔を崩す。

抱きついてきた。

やわらかな感触が、涙の熱さでふれてくる。

何が起こったのかつかめなくて、ぼくは固まっていることしかできない。

ぼくのみぞおちあたりに顔を埋めながら彼女は、

……大丈夫だよねこれは。

と、ぼくにはわからない独り言をいう。

「……何か、あった？」

彼女は、ぼくのシャツをくしゅりと擦ってうなずく。

「ちょっとね……かなしいことが……あってねっ」

無理に軽くしようとする響きが、かえって本当なんだと伝えてきた。

ぜんぜん気づかなかった。素振りもなかった。

でも、そういうものかもしれない。みんな、何かあっても大勢の人の中ではなんでもない顔をしている。こうして関わりを持たないと、見えないことなんだ。

踏み込むべきか迷ううち、彼女が体を離す。ぼくの両腕をつかんだまま顔を上げる。

涙に濡れた瞳がぼくをみつめた。唇を笑みにして、白い歯を見せた。

「また会えるよ」

そう言った彼女はとても胸にしみてくる印象で、ぼくはぼんやりしてしまう。

さっきのぼくに対する答えだとわかったとき、彼女はすっかり整頓《せいとん》を終えたような風合いで距離を置き、スカートを撫でる。

「またね」

「あ――」

「ごめんね、もう時間なの」

一歩ずつ後ろに下がりながら、

「またね」

「うん、気をつけて」

福寿さんは困ったような笑みを浮かべかけ、背を向けて小走りをはじめる。なんどもこっちを向きながら、

「また明日ねっ！」

桜の咲く曲がり角の向こうに消えた。

遠い対岸の笑い声が、水面を渡って届いてくる。

ぬくくて、心地よくて、囲む山は胸の弾むような彩りだ。

家を出るとき、こんなことが起こるなんて想像もしなかった。

ぼくは今さらながら、ついさっきまでの出来事と、たぶんつかめただろう彼女との関わりに、じわじわ、じわじわと嬉しさを膨らませた。

2

ぼくは将来、イラストレーターになりたい。

同時に作家にもなりたいと思っている。

だからぼくは毎日、絵を描いて、小説を書いて、趣味で曲作りをして、ピアノも少しずつ始めて……という、けっこう充実した日々を送っている。

今日の夜もいつもどおり、誰もいないダイニングテーブルで小説の続きを書いていたのだけど……帰りの電車で気づいた致命的なミスが頭に渦巻き、一行も進められなかった。

メールの着信。友人の上山《うえやま》から、帰宅したという連絡。

上山は近所に住んでる親友だ。幼稚園に入る前から仲が続いている。

ぼくは「今から行く」と返信し、家を出た。ひとりで抱えきれなかった。

近くの田んぼに柵を越えて入る。住宅と国道に囲まれた田んぼは、彼の家への近道。

車の音を聞きながら暗いあぜ道を渡ると、ほどなく馴染《なじ》みの家が見えた。

「おじゃまします」

玄関で言って靴を脱ぐ。おじさんもおばさんも、ぼくだとわかっているからスルーだ。

奥でマルチーズの勘吉《かんきち》が鳴いている。階段を上って、上山の部屋に入った。

「よう」

ぼくが言うと、カーペットにベタ座りした上山は目だけで返してくる。今さら挨拶し合うような距離感じゃない。ぼくも座った。

夜の十時過ぎ。泊まり確定なのは、上山もぼくも、おじさんもおばさんも、うちの家族も「上山んち行ってくる」の時点で、みんなわかっている。

上山は背が一九四もあって、おしゃれのセンスがあって、イケメンなわけではないけど、女の子にすごくモテる。

「あのな」

だからぼくは、上山に今日あったことを相談するのだった。

駅で福寿さんを呼び止めたくだりで、上山の目が大きくなる。もともと表現がストレートな奴だけど、ぼくがそういうことをしたのは意外だったんだろう。

「おいおい、やるなあ」

上山が弾むように座る姿勢を変えた。ぼくも我ながらよくやったと思うので、そこは誇らしい気持ちになる。

「で、どうなった？」

　ぼくは宝ヶ池に行って別れるまでの顚末を話した。

　すると上山は的確に、ぼくの犯した致命的ミスを指摘する。

「連絡先、聞いてないのか？」

　そうなのだった。

「お前、マジか」

　上山がやはりストレートに、驚きと、呆《あき》れと、いろんな言葉を飲み込んでる表現をする。

　ぼくも「あの展開でそんなこと言い出せないし、思いつけない」とか言いたいことはあったけど、不毛だ。

「どうしたらいいと思う？」

「どうって……」

　上山はコップのお茶を飲んで、

「え、名前だけ？」

「あとは美容師の学校に行ってることと……あ、ぼくの学校は言った。知ってるって。学科も教えた」

「じゃあ会いに来るんじゃね？」

　いかにも思いつきという感じで言った。

「そうかな……」

「わかんねえけど」

ぼくが思い悩むと、上山がバシンっと肩を叩いてくる。

「だいじょうぶだって！　勘だけど」

ものすごくてきとうだけど、ぼくはきっと、これを求めてこいつの所に来た。

午前の一時近くになって布団を敷く。蛍光灯が消え、部屋が暗くなった。

「なあ。なんで抱きついてきたのかな？」

ぼくは話しかける。

「さあ。変わってるな」

「べつに変わってる感じじゃないんだけどな」

話が途切れた。ぼくたち二人では、わかりようのないことだった。

「そういやさ」

上山がなにげないトーンで、

「俺、料理人になることにした」

それらしい前兆が一切なかった情報をぶつけてきた。

「……なんで？」

「俺、くらわんかでバイトしてるだろ？」

「ああ」

　くらわんかというのは、地元のレストランだ。

「それでなんか、急に思った」

「……そうか」

「そうだ」

　互いに眠ろうとする沈黙の中、ぼくはふと「そういうものなんだな」と思った。

　出会いは突然で、昨日と今日で自分ががらりと変わってしまう。そういうものなんだと。

　目を閉じると、すぐ福寿さんのことが浮かんでくる。

　胸が苦しくて、本当につらくなる。

『また会えるよ』

　彼女の言葉と笑顔をお守りのように浮かべながら、ぼくは眠った。

3

ぼくの学科には、動物園でのペンクロッキーというカリキュラムがある。

クロッキーというのは、スケッチよりもさらっと描くものだと思えばいい。

二限を終え、学科の棟に向かう。山の中に建てられたキャンパスの一番奥まった場所にマンガの棟はあって、そこに各学年の教室が入っていた。

黒いドアをガチャリと開けると、中にはちらほらクラスメイトがいた。人数もノリも本当に「クラス」という感じで、大学なのに高校までとあまり変わらない。

ぼくは机で自分で作った弁当を食べ、ロッカーからB5のケント紙とカブラのペン先を補充した。

教室を出ようとするとき、だべっているクラスメイトたちが目に入る。

課題にもあまり熱心じゃなく、遅くまでここでだらだら過ごしている印象のメンバー。

何やってるんだ、と思う。

親に高い学費を払ってもらって、なんでそんなに無駄に過ごせるんだろう。その時間でやれることはもっとたくさんあるはずなのに。

そういうことも手伝って、ぼくは大学二年にして選民意識に目覚めてしまっていた。「自分は彼らとは違う。もっと上に行く人間だ」的な。

大学二年にして、中二病。とても人には言えない。けれど、それだけの努力もしているつもりだし、必ずそうなると秘かに信じていた。


京阪電車の三条駅から平安神宮《へいあんじんぐう》の巨大な鳥居（初めて見ると驚く）を横切った先に、京都市動物園がある。

窓口で学生証を見せながら、大学で支給された用紙を渡す。市の協力で、ぼくたちはこの紙に名前と学籍番号を書くだけで無料で入れるようになっている。

ゲートをくぐると、すっかり見慣れた大きいドーム型の鳥かごが迎えた。

まず何を描こうかと考え、しばらく描いていないキリンのところへ向かうことにした。

でかい。最初に来たときは、存在感に圧倒された。

ぼくは、クリップボードに挟んだケント紙とＰＩＬＯＴインクとペンを取り出し、ペン先をインクにつけて描いていく。

今日は陽差しが強くて、白い紙の反射がきつかった。

「………」

グリーンの影が焼きついた目を休めながら、ぼくは彼女のことを浮かべる。

今日、大学に向かう電車の中や、大学や、ここに来るまで、ずっと彼女の姿を捜している。

でもどこにもいなくて、昨日の出来事が夢のように薄らいできていて、怖かった。もう会えないんじゃないかという不安と、信じるんだという意志。彼女のことが浮かぶたび胸がくっとなって、ああつらい、と思う。甘い痛みだなんて誰が言ったんだろう。

「おう」

クラスメイトの林《はやし》が来た。

林は眉とまつげが濃くて、ミッキーマウスの声マネがうまい。

「おう。島袋《しまぶくろ》と西内《にしうち》くんは？」

「来てるよ」

ぼくを入れたその四人が、ぼくの属しているグループだ。みんな京阪電鉄で通学しているから「京阪組」と呼ばれたりする。課題もちゃんとやってる真面目系のグループになると思う。

林と並んでクロッキーを続ける。と、

「お前昨日、宝ヶ池で降りてなかった？」

「………………」

固まる。

……どうする。違うと言う？　いや、危険だ。

「いたのか」

「前の車両に」

「そうか」

「なんか、女の人に声かけてなかったか？」

心臓が跳ね、一瞬にして毛穴が開く。そこまで見られてたのか。

「すごい勢いで走っていって」

「……ああ、うん」

「まさかお前……」

「………………」

「痴漢か」

「アクティブだな」

「じゃあ何？」

「……忘れ物みつけたから、届けたんだよ」

「ふーん……まあ、ナンパなんかしないだろうしな。お前」

「ははは」

実はまさしくそれなんだけど。

キリンがこちらにお尻を向け、地面の草を食《は》む。

動きが止まった。チャンス。ぼくと林はペンを走らせる。

――。

描き始めてすぐ、緊張を覚えた。

ここまで、すごく出来がいい。

うまく描けている。けど当然ペンだから、やり直しがきかない。この先でミスしたら、すべておじゃんだ。

でもキリンはいつまでも同じポーズでいてくれない。ぼくは目に力を入れ、一気に線を引いた。

――よし！

できた。いい感じにパースがきいている。特にお尻のラインがうまく描けた。

「いいね」

うしろから、聞こえた。

普通なら、それなりに長い付き合いじゃないと背後からの声が誰かだなんてとっさにわからない。

けど、彼女のは、一瞬でわかった。

振り向くと——福寿さんがまるでなんでもないように立っている。

一瞬頭がまっ白になったぼくをよそに、彼女は描きたてのクロッキーを見て、

「あっ、教室に張り出されるやつだ」

「え？」

「ううんっ、お尻のラインがよく描けてるよねぇっ」

「そうなんだ、ここうまくいったんだ」

ぼくは自分がいいと思っていたところを褒《ほ》められて、すっかりテンションが上がった。

「首のパースもうまくきまって」

「うんうん、いいねっ」

ねっ、の言い方がたまらなく可愛らしい。小さい「っ」の中に「ぇ」が少し混じっていて、そのおどけた響きが嫌味じゃない。

「福寿さん絵、描くの？」

「ぜんぜん。手紙とかにちょっと描く程度だよ」

なんとなく上手そうだな、と思った。

林の視線を感じた。

感じつつも、どうにもできないからあえてスルーし、彼女と話し続ける。

「なんでここに？」

「知り合いに聞いたの。あの学科の二回生なら、今はここに来てるだろうって」

言って、申し訳なさそうな表情をする。

「ごめんね。連絡先、聞いておけばよかったのに」

「いや、ぜんぜん」

ほんとに、ぜんぜんだ。

「こんにちは」

彼女が林に話しかけた。

「南山くんのお友達ですか？」

とても自然な入り方だった。その空気感だけで、彼女の場に対する気遣いやコミュニケーション能力が伝わってくる。けど、

「は、はい」

こいつのこんなに緊張しているところは初めて見た。

いくら自然であっても、初対面のかわいい子に話しかけられれば緊張する。男のぼくにはその感覚がとてもよくわかった。

林はぎこちなくぼくを見て、

「じゃあ俺、ライオン描きに行くから」

と、空気を読んだのと逃げるのを半々にしたニュアンスで去っていった。あとでいろいろ聞かれるのは確実だろう。

福寿さんはそのうしろすがたを少し見送ったあと、こちらを向いて、

「ごめんね」

「いや？　大丈夫」

声が上ずる。テンションの高まりが、まったく抑えきれてなかった。

また会えた。

しかも、知り合いに聞いてまで来てくれた。

これは、その……大丈夫、ってことなんじゃないだろうか。

体の内側の気圧がなくなったような感じがして、指先がじんじんと痺《しび》れてくる。ぼくは落ち着かなくてインクの蓋《ふた》を閉めようとした。

「あっ」

瓶が傾いて、こぼれそうになる。……セーフ。

「ごめん、大丈夫」

こわばっていた彼女に向かって言う。彼女はほっとしたふうに、

「気をつけなきゃダメだよ？　大事な絵なんだから」

「うん」

たしかに、これは確実に提出できるものだ。

「あせってさ。いきなり来たから」

すると福寿さんは照れたふうに目を逸らしたあと、それを覆い隠すように、にこっと微笑みかけてきた。

「また明日って言ったじゃないですか」

やばい。にやける。

ぼくはなにげないふりで口許を隠してから、

「ええと、ここの動物園、初めて？」

「うん」

「じゃあ案内するよ。しょっちゅう来てるから、ばっちりできる」

そしてぼくは、福寿さんと園内を巡った。

目の前のキリンにはじまり、ライオンの唸《うな》り声の腹にくる重低音だとか、象のでかさとウンコのでかさとか、ダチョウとの違いがよくわからないエミューのつぶらな瞳、ふれあい広場のヤギや羊の和む顔。

福寿さんはびっくりしたり、笑ったり、とても楽しそうだった。正直、動物園はイメージよりもずっと楽しめる場所だと思う。彼女に受けて、ぼくも嬉しかった。

クラスメイトとも何度かはち合わせたけど、隣の福寿さんを見つつ、逆に声をかけてこなかった。


ぼくたちは、ペンギンの水場前のベンチで休憩する。

「かわいいねぇ」

フンボルトペンギンの受けもすこぶるいい。

そんなふうに楽しく過ごしたから、ぼくたちはまったりした空気に包まれていた。

自然と静かになり、ぼくはなんとなしに彼女を見た。

シャツの袖から出た腕のあまりのきれいさに驚く。

女子の腕はたいていきれいな感じだけど、そんなレベルじゃない。肌のきれいさと光るほどの艶《つや》やかさが一目で伝わって、ぼくですらものすごく手入れされていることがわかる肌だった。

見とれるというより、なんでそんなに完璧のラベルばかり貼るんだとツッコみたくなる。

林もそうだったけど、園内を歩いていると、まわりの人たちが彼女に反応するのがよくわかった。改めて、彼女が人目を引くほどの容貌と雰囲気を持った子なのだと実感させられた。

ぼくは、彼女の腕から畏《おそ》れるように目を逸らす。

「小さい頃、死にかけたことがあってさ」

なんだか間を埋めなきゃいけない気になって、ぼくは自分の鉄板話をはじめた。

「五歳のときに震災があってさ。ほら、あの大震災。うちもすごい揺れてさ、ええと『半壊』したんだ」

彼女が目を瞠《みは》る。

「いや、大丈夫。みんな無事だったし、保険も下りたから。でもすごかった。あ、福寿さんは大丈夫だった？」

「うん」

「そっか。で、すごかったんだ。揺れが。もう布団の上で何もできなくてさ、ぼーっとしながら『家こわれちゃうのかな』って。そしたら、聞いたこともない音で家が傾いて、変な臭いがして、見たら掛布団が燃えてた。電気ストーブで。布団は払ったけど、それ以上何もできなくてさ。だって五歳だし、家はぎしぎしいってるし、びーびー泣いてたんだよ。『死んじゃうんだ』って。――そのとき」

ぼくは呼吸を挟んで、

「ベランダの窓が開いて、知らないおばさんが入ってきたんだ」

「おばさん？」

「そう。見たことない人。腕を引っぱって立たされてさ、おんぶされて、たぶん『しっかりつかまって』みたいなこと言われたんだろうなぁ。で、ベランダに出て、そこから下に降りたんだ。……助かった」

「……そっか」

もう終わったことなのに、彼女はちょっと瞳を潤ませながら言った。

「降りてすぐ、ぼくの部屋の窓から、大きくなった火がチロチロッて出てたのがすごい記憶に残ってる。あのままいたら絶対死んでただろうなって。だからそのおばさんは本当に、命の恩人なんだ」

「その人は、それからどうしたの？」

「よかったねって感じで、ぼくを抱きしめてきた。いい匂いがしたな。はっきり覚えてないけど、きれいな人だった。すぐに表から親の声が聞こえてさ、そこで別れたんだ。あとで捜したけどいなくなってた。でもそのあと……」

スピーカーから擦り切れた音楽が流れはじめた。閉園三十分前のアナウンス。

「もう四時半か」

空を仰ぐと、たしかに薄《うっす》らとなっていた。

「南山くん」

彼女がぼくの名前を呼ぶ。

「あ、南山くんでいいのかな？」

「いいよ」

「実は、わたしも死にそうになったことがあるの」

福寿さんが言った。

「そうなの？」

「うん。しかも、同じ五歳のときに」

ぼくは驚く。

「ね、偶然だよね」

明るく笑う。

ぼくはそこに、空にはない夕陽の光を見たような気になった。

「行こうか」

「うん」

ベンチから腰を上げたとき、あっ、と気づいた。

連絡先を聞かないと。

「どうしたの？」

「ええと……連絡先、聞いていいかな」

ぼくが緊張しながら持ちかけると、

「あっ、そうだ！」

彼女が大きく目を開く。

「わたし、そのために来たんだった」

なにやってるんだろ、と照れ笑いする。ちょっと低い地の声が出て、かわいらしかった。

ぼくと連絡先を交換するために来てくれたんだという事実を聞いて、ぼくはどこまでも高まりそうなテンションを抑えるのが大変だった。耳や頬が熱くなるのをなんとか撫でてごまかそうとする。

ぼくたちは、またベンチに腰掛けた。

「電話番号でいい？」

「ああ。口で言ってくれたら、打つから」

「ちょっと待ってね」

彼女がバッグを開ける。

「下宿でさ、まだ暗記してないんだ」

言いながらメモ帳を取り出す。表紙のへたった、年季を感じさせるものだった。

「あっ、こっちじゃない」

慌ててしまい、真新しいものを出す。

「わたし、一度気に入ったものはずっと使う方なの」

ぼくの視線の声をしっかり感じていたらしい。さすがだ。

ぼくは075ではじまる彼女の番号を登録し、彼女はぼくの番号とアドレスを細いボールペンでメモした。

「これでいい？」

「ああ」

こうしてぼくは、福寿さんとの連絡先の交換に成功した。


「いや、誘えよ」

上山にツッコまれた。

「え？」

「どっかでお茶飲むかメシ食うかしろよ。最低でもデートの約束しろよ」

ぼくは虚を突かれた。

夜、また部屋に来て今日あったことをテンション高く報告したぼくに、上山はあきれた顔を向けている。

「でも……急すぎないか？」

するとと上山は「はあ!?」と言った。

「お前、告ったんだろ？」

「ああ」

「で、その福寿さんは、わざわざ調べてまでお前のとこに来たんだろ？」

「……ああ」

「それで連絡先だけ交換して、帰りに誘わないってありえないだろ」

背筋がひんやりしてきた。

「そう……なのか？」

「たぶん別れるとき『あれ？』とか思われたぞ。『この人私のこと好きなのに、なんで誘わないんだろう？』って」

「…………」

自分のしたことの深刻さがのしかかってくる。「うまくいった」と浮かれていた出来事が、くるりと「失態」に反転した。

「ど、どうしたらいい？」

「まあ、聞いてる限り、だいぶ脈ありそうだから大丈夫と思うけど」

「そ、そうか」

ぼくはほっとして、

「脈あるって思うか」

「たぶんな」

「そうか。――そうか」

さっき感じていた不安がのど元を過ぎ、高揚感が満ちてくる。

上山はそんなぼくをじっと見て、いきなりこんなことを言ってきた。

「今から電話しろ」

「えっ？」

「デート誘え」

「……今？」

「今」

「でも――」

「なにびびってんだよ。電話するだけだろ」

だけとか。初級コースを案内する上級者の顔で言う。でもその初級コースは、ぼくにとってとても難しいことに映る。

つい一昨日まで気にもしていなかった恋愛経験値の低さが、隠れていた負債となってぼくにのしかかってきた。

「お前それくらいできないと、この先、女となんか付き合えないぞ」

刺さった。以前に同じようなことを言われたときは苦笑で流せたのに、今はとても痛く感じられた。なぜなら、そうなるのが嫌だと思っているからだ。

好きな人がいるからだ。

「わかった……電話する」

「よし」

ぼくはケータイを取り出し、福寿さんの番号を表示する。

「……最初、なんて言えばいい？」

「そりゃ、今日はありがとうとか」

「ちょっ、書くもの貸して」

「お前、マジか」

「お前みたいに慣れてないんだよ。初心者なんだよ」

言ってて情けなくなってくる。ぼくはどうして彼女と出会う前にレベルを上げておけなかったんだろう。

こんなこと、考えたことなかった。

紙に『今日はありがとう』と書く。どんなことをしても彼女に届きたい。届きたい。

「次は？」

「まあ……びっくりしたけど嬉しかったとか。で、週末予定ある？　みたいな」

「あっ、どこに誘えばいい？」

「それくらい考えろよ」

「……え、映画は？」

「いいんじゃねえの」

「あ、でも『最初のデートで映画はNG』って記事をネットで見たような」

「ハッ。そいつなんもわかってねえな。安牌《アンパイ》大事だろ」

ぼくはひととおりメモした。

「……じゃあ、かける」

「おう」

ケータイの『福寿愛美』の表示を見ていると、いろいろな心配が浮かぶ。いま変なタイミングじゃないだろうか、とか、ちゃんと会話続くかな、とか。

――。

ボタンを押した。つながるまでの空白――鳴りはじめたコール音。動悸《どうき》が跳ね上がる。

「ケータイ持ってないって、ほんと変わってるよな」

上山がつぶやく。

きっちり二回目の終わりでコール音が止む。彼女が出た。

『もしもし』

「あっ、福寿さんのお宅ですか？」

びっくりするほどうまくしゃべれない。

『南山くん』

確信の響きで名前を呼ばれ、かなり安心した。つながった気がした。

「う、うん、いま大丈夫？」

『うん、大丈夫』

「よかった」

ぼくはそそくさとメモを見て、

「今日はありがとう」

上山が笑いをこらえている。

『え、ううん、こちらこそ』

電話越しの彼女の声は、より丁寧できれいな響きだった。

『ごめんね、びっくりしたよね』

言おうとしていたことを先に言われた。

「いや、ぜんぜん」

応えながら、視線はメモの上をさまよっている。

と、上山がメモをひったくった。

「あっ」

『え？』

「いやっ、なんでも。えーと……」

メモをなくしたぼくは、自分の頭の真っ暗な中から言葉を拾う。

「来てくれて、すごい嬉しかった」

自然に、気持ちを込めて言うことができたと思う。

上山がにやにやしながらサムズアップしている。

「昨日、連絡先聞くの忘れて、あせったんだ」

『わたしも。「あっ」って』

同時に笑う。

いい感じだった。

上山が口の形で「行け」と言う。ぼくは目でうなずく。

「えっと、週末、予定ある？」

『ううん、ない』

「じゃあ一緒に、映画とか行かない？」

『うん、いいよ』

あまりにあっさり承諾されたので、ぼくも流れのままに、

「あ、よかった。じゃあ、いつ行ける？」

わりと普通のテンションで約束を決めた。

「じゃあ土曜に。おやすみ」

『うん、おやすみ』

お互いに切るタイミングをさぐり合う、くすぐったい間が漂った。

耳を離し、そっと親指で押した。

瞬間――スイッチが入ったように喜びが爆発した。

「やった！」

上山にぶつける。上山の腕をばんばん叩きながら、

「やったよ‼」

「うざい」

上山は苦笑する。

「よかったな」

「ああ……！」

ぼくは大きく二度、うなずいた。こいつがいてくれて本当によかったと思った。

4

土曜日、ぼくは三条の河原町《かわらまち》通りを歩いていた。

二時間後に迫ったデートの下見。

現地に明るくないことを上山に告げると、強く勧められたのである。

いわく、お前には道を知っておくぐらいの余裕は必要。迷ったりテンパったりしてると『ないな』の判定にぐっと近づく。軽くぶらついとけ。入る店も目星つけとけ。

ちなみに上山自身は下見をしたことはないらしい。「そのときそのときに良いと思う提案、決断をすればいいだけ」。言ってみたい。

三条でも動物園と逆方向の河原町通りは、めったに来ない。たまに大きい書店で本を買うぐらいだ。「こういう場所で遊び回らないストイックな俺かっこいい」という中二病のなせる業《わざ》でもある。

通りには洒落《しゃれ》た店が並んでいて、ちょっと気後れしてしまう。休日の混雑に紛れながら軽く通りをさらったあと、ケータイの地図を見つつ映画館へと向かいはじめる。

「…………」

でも実を言うと、ぼくは下見にあまり集中できていない。

二時間後のデートに今から緊張している。それもある。

ただ——昨日あった、ある出来事が気になっている部分も大きかった。

昨日、大学でいつものように弁当を食べるため教室へ行くと、壁にクロッキーが張られていた。

それは先日提出して、返ってきたらしきもの。クラスメイトが描いたペンクロッキーの中から十二枚が選ばれ、張り出されていた。

教授がやったのではなく、徳田《とくだ》というクラスメイトの手によるものだった。

うちのクラスには実力的に抜けている奴が二人いて、徳田はそのうちの一人。彼が「オレがいいと思ったもの」を勝手にチョイスし、張り出したのである。

その中に、ぼくの描いたクロッキーもあった。

キリン。

それを見て、ぼくはこの絵を描き上げたときのことを思い出した。

彼女が何か言ってなかったか、と。

はっきりと一字一句は思い出せないけど、たしか「教室に張られた」とか、そんなことを言ってた気がする。

何か別の意味のことを聞き違えていた可能性はあるけれど、ぼくはそれが気になって、少し不思議な感覚をふわふわ漂わせている。このあと彼女に会ったら聞いてみようと思った。

――この商店街に入るのか。

地図をたしかめ、ぼくは進んでいく。ここは初めてで、今まで商店街があることも認識していなかった。

と、すぐに店の傾向が変わったことに気づく。

あれは扇子《せんす》屋？

ウインドウに、広げた扇子が色彩豊かに並べられている。和の風情で、京都らしくて、ちょっといいなと感じた。

彼女はこういうの好きかな。なんとなく、好きな気がするな。

こうして歩いてみると、河原町通りは都会ならどこにでもありそうな店というか、そういうものばかりだったことに気づく。

面白いじゃないか、ここ。

彼女はどんな反応するだろう。それとも来たことあるのかな。

進むうち、別の名前がついた商店街に差しかかる。

行列をみつけた。

カウンターの唐揚げ屋で、中学や高校の女子がもっぱら並んでいる。ぼくは知らないけど、あちこちに店がある有名どころっぽい雰囲気だった。覗いてみると、普通のサイズが二〇〇円。

食べてみよう。そういえば昼食もまだだった。

行列の一番後ろに回ったとき、ふと、隣の店が目に入った。

ピザ屋。同じくカウンターのテイクアウト方式。円皿の上に切ったピザを並べていて『1つ100円』とあった。

誰も並んでいない。隣の唐揚げ屋と比べるとかなしいまでに。

でもぼくは、こういう売り方のピザを見たことがなくて、興味を引かれた。

こっちも食べてみよう。一〇〇円だし。

ぼくは並びかけた列を離れ、ピザ屋のカウンターへ行く。少し勇気がいる。

皿には三種類あった。キャップをかぶった同い年くらいの女性店員に話しかける。

「どれがお勧めですか？」

「手前のものが焼きたてですよ」

いまいち質問とずれてるなと思いつつ、じゃあ手前で、という感じでマルゲリータに決めた。

ぼくはちょっと後ろに離れ、プラスチックの皿に載ったピザを「ふーん」と思いつつ一口食べた。

びっくりするぐらいおいしかった。

え？　あれ？　これ、今まで食べた中で一番なんじゃ……？

宅配、ファミレス、わりと本格的な店で食べたこともある。けど、その中でも。

ぼくは「え？　え？」と思いながら食べていく。食感が際立っていた。生地をはじめ、全体の熱の通り方がすごくよくて、すいすい口に入る。

なんでこれが一〇〇円？　そしてなんでこの店には行列ができてないんだ……？

ぼくは本気で不思議になるとともに「穴場をみつけた」という達成感を覚える。

――これ、食べさせたいなあ。

強く思った。

このおいしいものを、福寿さんに食べさせたい。

そのときぼくは――はたと気づいた。

何かにつけ彼女のことを考えている自分に。

面白い場所を目にしたら彼女に見せることを考え、おいしいものを食べたら彼女にも食べさせたいと願っている。

どんな反応をするだろう。好きだろうか。喜んでくれるだろうか……。

今までのように自分だけの「よかった」で終わらず、彼女と分かち合いたいと自然に望んでいる。

ああ――。

人を好きになるって、こういうことなのか。

賑《にぎ》わう人通りの中で、ぼくは実感した。

とても清らかな感情が胸を満たす。

このさき彼女との関係がどうなっても、ぼくはこんな心境があることを教えてくれた彼女に感謝するだろう。

そう思った。

5

二〇分前になって、待ち合わせ場所に向かった。

それまでの間、書店やマックで時間を潰し、ケータイを見てひどくゆっくり、けれど着実に迫ってくる待ち合わせ時間に緊張して、脚をむずむずさせながら過ごしていた。

ローソンを横切り、駅に向かって三条大橋《さんじょうおおはし》を渡る。

橋の下を流れる鴨川《かもがわ》沿いに、カップルたちが並んで座っている。今日は休日で暖かいから、とても多い。ぼくはこれから福寿さんとデートすることを意識し、また緊張した。

川の先には、四条大橋とそれを渡る人たちが小さく見える。そして反対側に目を向けると、遠くかすむ山の青がきれいだった。

京阪の三条駅の階段を下り、待ち合わせ場所に指定した「クネクネした三本柱」へと向かう。

そこに——遠目からでもすぐそれとわかる彼女の姿があった。

みつけたとたん、体の中のテンションが変わる。条件反射の回路が作られてしまったみたいに。

彼女はびっくりするほど早くぼくに気づいて、白い歯をこぼした。

彼女の笑みはほんとうに魅力的で。

ぼくは軽く手を挙げて応え、がんばってなにげないふうにして歩み寄る。

「早いね。何分前ぐらいから？」

「二、三分だよ」

「そっか。よかった」

笑顔を見せる。

「じゃあ、行こっか？」

「うん」

デートがはじまった。

隣を歩く彼女の装いはいつもよりささやかに、でも確実に華やかで、デート仕様なんだとわかった。

そのはっとさせられる印象に、ぼくははじめ心を浮き立たせていたのだけど、ほどなく「また……」と途方に暮れる気持ちになった。

なぜなら、また「完璧」のラベルが貼られている。

自分に合うものを適切に選び、男女ともツッコむ余地がないくらい「ほどよく、理想的で、正統派な女の子」を全身で表現していた。

ぼくの視線に気づいて、彼女が「ん？」という笑みで見上げてくる。

可愛すぎる。

「えっと、今日の服、いいね」

「ありがとう」

控えめにはにかむ。

きみはどうしてそんなに完璧であろうとするんだろう。


「わぁー」

三条大橋に差しかかる景色に、彼女が小さく声を上げる。

河原町通りまでの景色はきれいでも壮観でもないけど、京都らしい個性が出ている。

「こっちには来たことない？」

「二回くらい、かな。昔に。でもあんまり覚えてないんだ」

橋を渡りながら、好奇心を宿した瞳をあちこちに移していく。

「あ、見て、南山くん」

鴨川の先を指さす。

「山、きれいだねぇ」

「うん」

「あの青のグラデーションがさ、いいよね」

「わかる」

同じものをみつけて「いい」と言った彼女が、うれしかった。

「いっぱいだね」

今度は、川沿いに座る人たちを見ている。カップルだけじゃなく、友達同士や、家族連れもいた。

「ほぼ等間隔なのが、なにげにすごいよな」

「だね、なんでだろうね？　ラインでも引かれてるのかな？『ここです』みたいな赤線」

話しながら、指をすいっと動かす。

テンション高いな、と思った。なんとなくだけど、彼女の普通よりもだいぶ持ち上げられてる感じがする。

もしかしたら、福寿さんも緊張しているのだろうか。

「あっ、あのスタバ、すごいオシャレだね！」

彼女がまた新たな標的をみつけた。ローソン向かいの、鴨川沿いのスターバックス。

「あそこもスタバの席？」

建物の下を指さす。土手沿いの納涼床のある並びに大きな窓があり、ソファにかける人たちが見えた。

「なのかな?」

ぼくも入ったことがないから知らない。

「きっとそうだよ。いいねえ、いい感じだねぇ」

「あとで寄る?」

「うん!」

それからぼくたちは河原町通りに突き当たり、商店街に入った。

「ここは初めてだなぁ」

「そう?」

こうしていると、ルートを下見していて本当によかったと実感する。でないと「本当にこっちでいいのかな?」みたいな自信のなさが出てしまっていたと思う。

彼女は好奇心に輝く目を、アーケードや軒先の商品にテンポよく移していく。口角を上げた唇が可愛らしくて、なんとなく猫みたいだと感じた。

「あっ」

彼女がいっとう興味を引かれたのは、あの扇子屋だった。

「ああいうの好き?」

「うん」

「ちょっと見てこうか？」

「うんっ」

彼女は嬉しそうに応えて、

「時間、大丈夫だよね？」

とっさに腕時計を確認し、きちんとしたところを見せる。

そしてぼくたちは、扇子屋のショーウインドウの前に立つ。

桜の花を散らした普通にきれいな柄もあれば、平安絵巻を写したっぽいものや、扇全体で月の満ち欠けをコマ送りのように並べたものもある。

「これ面白いね」

彼女が月の扇子を指す。

「うん。こういうのもあるんだな」

「ね」

寄り添って見ると、彼女ととても接近することになった。温度を感じるくらいに。

ほのかに複雑な甘さを持つ香りがする。彼女のつける香水は不慣れなぼくにも趣味がいいと思わせるもので、ぼくはひそかにどきどきした。

「ふ、福寿さんはどれが好き？」

悟られまいと、そんな質問をする。

「……迷うね」

眉間がうっすら窪《くぼ》む。膝を屈《かが》めたり、また伸ばしたりしながら、飾られているひとつひとつを丹念に見ていく。

「……うぅん……」

そんな真剣に迷わなくてもと思った。

別の商店街に差しかかるところで、彼女がすぐに行列をみつけた。

「唐揚げ屋さん？」

来た。

ぼくは、わざとらしくならないよう気をつけて、

「あの隣のピザ、すごいうまいよ」

「そうなの？」

うまいと聞いて、ぴんとアンテナが立ったような反応をした。

「食べてみる？」

「ぜひとも」

カウンターへ行く。幸いさっきと別の店員さんに替わっていたので、

「手前のやつが焼きたてなんだよ」

なんて、慣れたフリをすることができた。

お金を払い、ピザを取る。彼女は三種類のうちどれを選ぶかに少し手間取った。

「面白いね」

「こういう売り方、珍しいよね」

「だね。じゃあ……いただきます」

彼女が食べようとするのを見つつ、ぼくは密かに緊張している。

大丈夫だよな？　通じるはず。ちゃんとおいしいはず……。

その答えは――一口含んだ彼女の瞳の輝きが雄弁に語った。

「おいしい！」

素直な響きだった。

「うまいよね」

「うん！　えーなにこれ。すごいおいしいんだけど」

テンションを上げて食べる彼女に、ぼくは内心ガッツポーズをした。

こうしてぼくたちは、最高の状態で映画を観ることができた。

6

「映画よかったね！」

「よかった！」

シネコンから出た瞬間、ぼくたちは言った。

無難なエンタメだと思っていたスパイアクションが傑作だった。普通、お互いの感想が違ったらまずいから探りがちになるんだけど、その必要のない上質な娯楽作品だった。

「あのオープニングが痺れたよね」

「そう！　あそこすごかった。『うわー』ってなった」

福寿さんも表情を輝かせている。

「ぼくは超一流のスタッフが『今から俺たちが全力でお前ら客を楽しませてやる！』って宣言に見えた」

「あ、そういう見方するんだ。さすがだね」

「さすがって何が」

笑いながら言うと、彼女もそんな感じでうなずく。

「うん、さすがさすが」

すごくいい流れだった。

「じゃあ、何か食べようか？」

一応、店の目星はつけてある。

「あっ。あのね」

「なに？」

「わたし、さっきのピザ食べたい」

というわけで――ピザ屋へ行った。

彼女は他の種類には目もくれず、さっきと同じものを取って食べた。

二枚食べた。

「わたし、ハマるとそればっかりになるの」

満足そうな顔で言う。

「ああ、福寿さん、そのタイプ」

「南山くんは？」

「ぼくは、いろいろ食べたい方かな。隣の唐揚げ気になる」

「！　あ、うん、だね、たしかに。気になる」

唐揚げ屋を見つつ、うぅんと眉間に窪みができる。

「じゃあぼく買うから、一個食べる?」

「いいの? じゃあ半分出す」

「いいって」

ぼくは唐揚げ屋の列に並ぶ。列と言っても短いし、店も処理に慣れていたから、すぐに買うことができた。

「はい」

「ありがとう」

紙パックの中から、福寿さんがつまんで取る。

そして、同時に食べた。

……うーん……おいしい、けど……これは。

「普通だな」

「……かも、ね」

もらった手前、彼女は控えめだったけど、表情には面白いぐらい⤵《こういう》矢印が浮かんでいた。

「並んでまで食べる味かなぁ。これならオリジンの方がずっとおいしいけど」

「あそこのおいしいよねっ!」

「だよね? こういう売り方したらいいのに」

「あ、いいね。わたし買う」

なんてことを話しながら。

「じゃあ……そうだ、スタバ行こうか？」

「ちょっと待って」

彼女は妙に真剣な顔つきでピザ屋に行き——さっきと同じピザを買ってきた。

戸惑うぼくに向かって、彼女はこれまで見せたことのない毅然《きぜん》さで言う。

「あの唐揚げが締めだと納得できない。わたしの中で終わったことにならない」

福寿さんは面白い。


「……ガラスの仮面」

「……ガラスの仮面かなぁ」

「「えっ」」

二人同時に驚く。

一気読みしたマンガの話になって、せーので言ってみた結果だった。

ぼくたちは三条大橋前のスタバにいる。降りる階段が見つからなくて、あの川沿いの席はスタバじゃないんだろうという結論になり、カウンター席に並んで座っていた。

　ここもウインドウから鴨川が一望できていい場所だ。ぼくの町のスタバよりずっと洒落た店内に、強く煎《い》った豆の香りが微かに漂う。

「すごいね」

「なかなか、かぶんないよね」

「ぼくは、高校の図書室で読んでハマったんだ」

「図書室にあったんだ、うらやましい。でも、わたしも高校だよ？　十五の時で」

「えっ、ほんとに？」

　それ以外でも、考え方とかがすごく似ていた。

「わたし、『もう二十歳か』って思うの」

「ああわかる。変なあせりが出るよな。もっと何かしなきゃ、みたいな」

「そう！」

「最近、腹筋鍛えだしたんだ」

「ほう」

「オッサンになって腹出したくないから。一回出ると引っこめるの難しそうだから、それなら最初から予防、みたいな」

「あっ、それすごいわかる。じゃあ南山くんもあれでしょ？　将来どんなおじさんになりたい、お爺さんになりたい、って考えてるでしょ？」

「なんとなくイメージはしてる。ジジイになっても背筋シャッキリしてたいとか」

「だよねだよね！」

両手の握りこぶしをぶんぶん振る。

「わたしもねー、いろいろやってるよぉ。子供が『きれいなお母さん』って自慢できるようなママになりたいって思うんだぁ」

なんだろう。てきとうにめくった神経衰弱が次々合っていくような不思議な戸惑いと、高揚感。

そして――やっぱりそうなんだ、という奥底での納得。

彼女の表情と、ぼくたちの間にある空気の密度が変わってきているのが肌でわかった。

トイレに立つと、店員さんに外のエレベーターを降りるように案内された。

時計を見ると、四時半を回っている。

もう二時間半も話してたのか。

トイレから戻って、店内の窓越しに街を見ると、たしかに夕方の色になっていた。

それをカウンター席でじっとみつめている彼女のやわらかな佇《たたず》まいに、ぼくはひそかに胸を打たれる。

「下にあったよ、川沿いの席」

隣に掛けながら、報告した。

「外のエレベーターを降りるんだった」

「そうなんだ」

「行く？」

「うーん……窓際の席は空いてた？」

「埋まってた、と思う」

「じゃあ、ここがいいんじゃないかな」

すぐに言って、

「ほら、一望だよ」

窓に向かって軽く両手を広げる。

たしかにそうだ。欲しいものを選ぶとき以外の、彼女の判断の早さと的確さは今日を通じて感じたことの一つだった。

「そうだね」

ぼくはマグカップにちょびっと残る、冷めたコーヒーを飲む。

ふと、思い出した。キリンのクロッキーのこと。

「あのさ」

「うん？」

くっ、かわいい。

「昨日大学行ったらさ、教室にあのクロッキーが張られてたんだよ」

「あのクロッキー？」

「ほら、キリンの」

「――ああ、あれ」

「福寿さん、何か言ってなかったっけ？」

「え？」

彼女は、うーんと天井を仰いで、

「お尻がよく描けてた」

「それ以外で」

「…………」

「ほら、張り出されたとかなんとか」

「…………？」

首がくぃぃと曲がっていく。覚えていないようだ。

やっぱり気のせいだったのかな。

「ああ、ごめん、いい」

「なに？　気になる」

「ほんと、なんでもないから」

「ふーん？　――あ、見て見てっ」

はしゃいだ声で窓の外を指さす。

眼下に広がる河川敷の道で、ニット帽をかぶったお爺さんとポメラニアンが散歩していた。

お爺さんの三メートルくらい後ろを、すごく小さいポメラニアンが尻尾を振りながらトコトコトコッとついていっている。開けた口から「へっへっ」という音が聞こえてきそうなのが、とてもいい。

「かわいいね」

「かわいいな」

トコトコ歩きだと、ちょっとずつお爺さんから離れていくから、ある程度離れたところで小走りになって距離を詰め、またトコトコ歩きに戻る。

福寿さんが「おおぅ」と口に出して悶える。

「ね、あの走るとこ、たまらんですなぁ」

「あの小っさい犬が『これ以上離されるとまずい』って判断してるところがかわいいと思う」

「面白い見方するねぇ」

「そうかな」

「南山くん、面白いよ」

「福寿さんも面白いよ」

くすりと笑い合う。

夕陽の色が濃くなって、鴨川は暮れかけの風情を帯びてきた。

その畔《ほとり》にゆっくりくりした感じで座っているカップルたちも同じ色に溶けこんでいる。

ぼくはひとつの提案を思いつく。ちょっとだけ緊張したけど、ここまでの流れがあるから、自分でもおっと思うくらい自然に切り出せた。

「あそこ、行ってみる？」

彼女は「うん」とうなずいた。

7

水辺には独特の静けさがある。

三条という大勢の人が行きかう場所で、川の水が段差を落ちるごぅという音が常にあるのだけど、それでもなんとなしに静かな気配になる。

「今日、楽しかったね」

「うん、楽しかった」

ぼくの言葉を、彼女が受ける。

二人だと、こんなに違うのかと思った。

初めて三条に来たとき、観光気分でここに座ったことがある。そのときは「ふーん」という感じでわりとすぐに立ったけど。

彼女と二人で座っているこれは、なんか、いい。

みんなこうしてる理由がよくわかった。隣のカップルの会話がぼんやりとしか聞こえない距離感もいい。

「映画、面白かったね」

「面白かった」

「ピザおいしかったね」

「おいしかった」

自然と静かになる。

向こう岸では、自転車を抱えた人が道路への階段を上っている。土手には赤い葉の茂みと、花を半分残した桜が枝垂《しだ》れている。

そういうものを眺めているうち、沈黙にあせらなくなっている自分に気づいた。

『ちゃんと、付き合ってくれって言えよ』

親友の助言が浮かぶ。言わないより言った方が絶対いいと。

彼女の方を向く。

その座る姿が、ふいに遠のいたように映った。

付き合うって、どういうことなんだろう。

ぼくにはその経験がほとんどない。中三の終わりから高一にかけて、何もないまま自然消滅したものがあったくらい。

だからどうすればいいのか、どういうものなのか、今になっても感覚がつかめない。まるで逆上がりのようだ。できる人は考えないですっとできるし、できない人はどうすればいいのか見当もつかない。

ぼくの視線に気づいて、彼女が「ん？」というふうに振り向いてくる。

「いや、なんか変な感じがして」

「なにが？」

ぼくは自分がいま思っていることを整理した。

「福寿さんとこうしてることが」

すると彼女は淡い笑みを浮かべて、水面をみつめる。

「だね……」

つぶやく。

「わたし、あんなの初めてだったから」

最初の告白のことだとわかった。

「ああ……」

「デートも……実は南山くんが初めてなの」

えっ、と声を洩《も》らしてしまう。それはかなり意外だった。

「よく思われる」

ぼくの心を察したふうに苦笑する。

「わたしってさ、そういうのぜんぜんないのに経験豊富って思われる。モテそうとか。わたしもぜんぜんないって言うの恥ずかしいから、なんとなく、ね。でも自分からは絶対行けないし、誰かに来られたこともなかったし……『恋愛しません！』とか、そういう空気出してるつもりないんだけどなぁ」

　ぼくはふいに謎が解けた気がした。

彼女がそういう状況だったのは全身に貼りつけた「完璧」のラベルのせいで、もし気づいていたとしても、彼女はそれを剝がせないだろうということ。

自分への美意識と向上心でがんばってしまう。前には進めても、けっして後ろには退けないのだと。

　さっきめくった神経衰弱のペアにそう書いてある。ぼくは彼女のように美しくはないけれど。

「だからあのとき……急に『一目惚れ』とか言われるの、ちょっと憧れてたから……嬉しかった」

　そうだったのか。

けれどそのとき、ぼくの見苦しいネガティブさがこう囁《ささや》く。つまり、最初に声をかけたぼくはたまたまラッキーだったのではと。

「でも、誰でもいいわけじゃないよ」

　聡《さと》い彼女は、それをふさぐ。

「わたしはそういうの慎重だよ。慎重すぎるほど慎重だよ。恋には憧れつつも、慎重だよ。もはや病気だよ」

「そこまで……」

「ううん、そう」

頑《かたく》なに言う。

「でもね……」

彼女は続けようとして、

「……ううん」

小さく首を振った。

川から強い風が吹いてきた。

水面に映る濃い影が、磨《す》りガラスのようにぼやける。

「寒くない？」

「うん、大丈夫」

夕陽が隠れ、空気が冷たい青に染まりはじめていた。

「ほんとのこと言っていい？」

夕闇に溶かすような、彼女の声。

「なに？」

「わたし、ずっとあなたのこと見てたんだよ」

とっさに言葉が出ない。

「気づかなかったでしょ」

上目遣いに見てくる。

ぼくのことを？　どうして？

「……いつから？」

「ちょうど、あなたと同じくらい」

その言葉の意味を理解するのに少し手間取って、

「それ、ずっとじゃない」

ぼくは半端なツッコミをした。

彼女が笑う。

「そういうわけなのです」

おどけた空気が冷めていき、ほどなく、静かになった。

ぼくたちは互いの存在を感じながら、流れる川面をみつめている。

……今じゃないのか？

ふっと浮かんだ。言うなら、今じゃないのか？

でも最初のデートで？——躊躇《ためら》う。

いきなりに思われて引かれないか？——怯《おび》える。

今日はもうこれで充分うまくいったじゃないか。帰って、次回だ。——自分の中で現実的と思える案が固まってくる。ほんとうにそれでいいのか。いいのか。

悩みながら彼女を、見た。

ぼくは自分を褒めてやりたい。

なぜなら、水面をみつめる横顔から「待っている」という気配が、声が……はっきりと感じ取れた。

たぶんそれは今日一日たくさん話して、たくさんペアのカードをめくったから。

なら、あとは、ぼくがまた――……

男のぼくが、勇気を出すだけだ。

「……福寿さん」

彼女はすぐに振り向かない。

その上向きの形をした耳と、頬で受け止め、これから何がはじまるのか覚悟したふうな溜めを置いて。

振り向いてきた。

静かな面の中で、ふたつの瞳だけが強くてあたたかな光をたたえている。

ぼくを肯定しながら、この瞬間に浸りながら、映る世界を永遠に焼きつけようとしているかのような、そんなひたむきなまなざしだった。

「ぼくと付き合ってください」

生まれて初めて口にした言葉を、彼女に届けた。
彼女の瞳が小さな湖のように潤む。すぅっと鼻で息を吸う、湿気った音が聞こえた。
「はい」
よれよれの声で言ってくれた。
彼女は閉じたまぶたを指先でぬぐったあと、もう一度言ってくれた。
「はい」
その表情を前に、ぼくは彼女の名前を思い浮かべる。
福寿愛美。
そのとおりだと思う。
福笑いの福と、きみは言った。
自然と溢れたきみの笑みには、幸福を呼び込みそうな円《まる》く光る美しさがある。

間奏

十歳の頃、南山高寿は毎週土日にサッカー教室へ通っていた。

親に無理やり入れられたことからまったくやる気がなく、いつも雨で中止になることを祈っている気だるい習い事である。

でもそう都合よく雨など降らないから、今日も彼はだるいだるいと練習を終え、親が営んでいる自転車屋の近くまで帰ってきていた。日曜はそこで両親と昼食をとるのが習慣。五〇〇円玉を握らせてもらい、近くの寿司屋で買ったちらし寿司を食べるのが唯一の楽しみだった。

秋の過ごしやすい中、スーパー沿いの細い通りを歩いている。この一帯には昔から続く店が並んでいるが、地方の例に漏れず寂れた空気に支配されつつあった。

高寿は小学生なりに「不景気だな」と考えつつ、十字路に差しかかる。

右手にある、たこ焼きの赤い屋台は幼い頃からあって、今日もいつものおばさんがたこ焼きをひっくり返していた。がんばっている、と高寿は思った。

「高寿くん」

後ろから名前を呼ばれ、振り向く。

サングラスを掛けた大人の女性が立っていた。

歳ははっきりわからないが、比較的若く見える。髪も身につけているものもお金がかかっているとわかる華やかなオーラを放っていて、この寂れた場所にまったく馴染んでいない。高寿は、テレビに出てくる人みたいだと感じた。

「南山高寿くん」

フルネームを呼ばれて、自分のことだと確信する。でも、誰なのかがわからない。どこかで会っただろうか。

女性は高寿の前まで来て、目線近くまで屈んだ。

「私のこと、覚えてる？」

首を振る。と、彼女のつけている香水のいい匂いがして、記憶の奥底が微かにくすぐられる。

「ほら、五年前の地震のとき」

あっ、となった。

「おばさん！」

「思い出してくれた？」

うなずく。

「元気だった？」

うなずく。

「そっか」

高寿は緊張していた。大人相手だし、とてもきれいなおばさんだったから。サングラスを掛けていてもそれはわかる。普段接している大人とは、ぜんぜん雰囲気が違った。

何か話さなきゃいけない気になって、ユニフォーム姿の自分について説明する。

「サッカーの帰り」

「サッカーやってるんだ」

「うん」

「うまくなった？」

「ぜんぜん」

「そっかぁ」

あたりには、たこ焼きを焼く匂いが漂っている。

「ああ、やってるね」

彼女は屋台の赤い幌を見て、

「ね、たこ焼き食べよっか？」

高寿はうなずいた。

屋台へ行くと、いつものおばさんが客の容貌に気圧されたように「いらっしゃい」と目を逸らし気味に言う。透明なガラスのカウンターに値段の紙が張ってある。『30個　５００円』というのが高寿の憧れだった。三十個。夢のようだ。でも五〇〇円は高い。

「高寿くんは十歳だから、三十個は無理だよ」

彼女が言う。

いけるのにと思いつつ、おばさんが十個入りを二パック買うのを見守った。

「はい」

モスグリーンの紙に包まれた白いスチロールのパックを受け取る。できたてですごく温かく、おいしそうな匂いがした。

「ありがとう」

言ったとき、高寿ははっとなる。

「助けてくれて、ありがとう」

あのときのお礼。

「どういたしまして」

軽妙に応えて、彼女はパックを開けた。ソースと鰹節と青のりの匂いがふわっと立ちこめる。

「懐かしいな」

彼女が感慨深げにつぶやく。

「昔ね、来たことがあるの。十年前に」

「ぼくの生まれる前だ」

「うん。そうだね……」

爪楊枝で、くっついたたこ焼きをはがして食べる。

とても熱い。でもおいしい。いつもの味だ。

「あ、あつい。あつい」

彼女はなんだかコミカルな動きで足をトントンさせながら、

「――はぁっ。でもおいしいね」

高寿はうなずく。

「たこ焼きは本来、こういうのなんだよね」

おばさんがつぶやく。

「安くて、あんまりきちんとしたものじゃなくて、駄菓子屋で一個十円で売ってるような、そういうふにふにして、なんだかおいしいものなんだって教えてもらった」

ふいに、彼女の周囲が湿気った気配を帯びる。

「……懐かしいなぁ」

泣いてるんじゃないかと、高寿は思った。

「……どうしたの？」

「ううん、なんでもないの」

二人は屋台のわきのスペースで壁にもたれつつ、たこ焼きを食べる。

「高寿くんは、サッカー好きじゃないんだ」

「うん」

「何が好き？」

「マンガかくのが好き」

「じゃあ、将来はマンガ家さんになるんだ？」

「マンガ家もいいけど、ゲーム作りたい」

「なれるよ」

すぐに帰ってきた言葉に、高寿は振り仰ぐ。

「あなたは必ずなれるよ。ものを創る人に」

彼女の声には、高寿がこれまで感じたことのない質感があった。何かはわからないけれど、奥で響いた。

やっぱり自分のまわりにいる大人とは違う人なんだということが、感覚的にわかった。

「おばさんは、何してる人？」

「なんだと思う？」

「……芸能人？」

「正解」

えっ！　びっくりして、テンションが上がる。

「何に出てるの？」

「高寿くんの知らないテレビ」

「教えて。見るから」

「それよりお姉さん、今日は高寿くんに預けたいものがあって来たの」

「？」

彼女は壁の縁《ふち》にたこ焼きを置いて、バッグから何かを取り出す。

「これ」

厚い文庫本くらいの、茶色い箱だった。

表面に小さい鍵穴らしきものがあるだけで、オフィス用品的な無機質さが漂っている。

「なにこれ？」

「中に大事なものが入っているの」

「なに？」

「今は内緒。次に会ったとき、教えてあげる」

「次っていつ？」

「けっこう先かな」

言って彼女は、箱を用意していた小さな紙バッグに入れ、高寿の手首にかけてきた。

「だからそれまで、なくさないで」

おばさんの真剣な声に、高寿は不安になる。

自分はとんでもないことに関わってしまったのではないだろうか。そんな思いで、紙バッグを見た。

「大事なものを入れてる場所はない？」

高寿は考え、首を振る。

「描いたマンガはどこに入れてるの？」

「……机の一番下の引き出し」

「そこに入れておけば、きっとなくさないよ」

「うん」

たしかにそうだなと思った。

「なくさないで持っていてね。開けちゃダメだよ？」

うなずく。

すると、おばさんが目の高さに屈んできて、小指を出した。

「じゃあ、指切り」

「……やだ」

「あ、そっか。恥ずかしいんだ？」

「うん……」

目を逸らす高寿を、彼女は大人らしい笑みをたたえて、じっとみつめている。

そして無言で抱きしめた。

高寿は驚く。力が強くて少しきついなと思う。けれどなぜか、どきどきする。

おばさんが離れて、ほんの一瞬、肌寒さを覚えた。

「その箱、次に会ったとき一緒に開けよう」

おばさんが、じんわりとした声で言う。

サングラスからわずかに透けた目がとてもきれいで、高寿の幼心に響いた。

第二章

箱

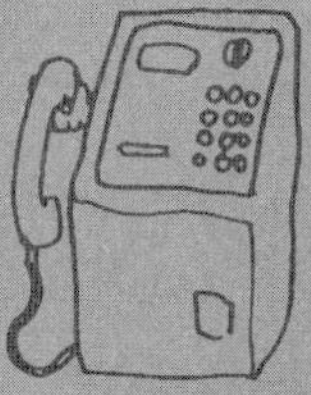

1

にやける顔を抑えられなかった。

起きて顔を洗っているとき、自転車で駅に向かっているとき、大学に向かう電車の中、講義中。ふとした弾みでにやけてしまう口許を手で覆い隠していた。

恋人ができた。

しかも一目惚れした、大好きな人だ。

ああ、だめだ、またにやけてしまう。

一昨日からずっとこんな調子で、しかも今日は夕方から会う約束をしているからテンションが大変だった。ふわふわしながら、せかせかしている。早く時間が経たないかと。

でも、課題はちゃんとやる。

むしろこれで弛《たる》んではいけないと、気合いが入る。彼女もきっと、そういう人のはずだ。

いつもどおり三条駅から平安神宮の鳥居を横切り、動物園へ。四時まで、充分と思える枚数を描いた。

カバンに画材をしまったとき、まるではかったようなタイミングでケータイが鳴った。

着信の表示には『公衆電話』。——ほぼ一〇〇パーセント、福寿さんだった。

彼女はケータイを持っていないから、当日公衆から掛けると言っていた。

「もしもし」

『あ……福寿です』

「うん、もう駅に着い——」

『今、駅に着きました』

「う、うん」

『あっ、ごめんなさい』

「いやっ」

ぎこちなかった。ひどかった。

でも、胸が膨らむ感じがした。

「ぼくは今、動物園出るとこ。二十……十五分くらいかな。前の場所で待ってて」

『うん』

「大丈夫？　わかる？」

『あのクネクネした柱だよね？　大丈夫』

「ごめんね、すぐ行くから」

『うん、待ってる』

通話を切った。

ぼくはケータイをしまって、小走りで動物園を出る。

彼女が携帯電話を持っていないのは、どうも彼女の意志ではなくて、親が許可してくれないとか、そういう事情のようだった。踏み込むのはやめておいたけど。

平安神宮の鳥居を横切り、通りから一本入った静かな川沿いを歩く。なだらかなカーブをゆっくり進んでいき──ぼくは驚く。

福寿さんが、石橋の袂《たもと》にいた。

ここからだとだいぶ小さく見えるけど、間違いない。通りの邪魔にならない所に立って、川沿いにある黒塗りの小屋をなにげないふうに見ていた。

なんだろう、彼女は驚くべき感覚で、この距離からぼくの視線に気づいたふうだった。

ぼくの存在を認めて、彼女の福笑い。こちらに向かって歩きだす。

ぼくも歩き続ける。

川沿いのこっちとあっちの狭い道を互いに埋めていき、川に渡された細い道に差しかかった。「渡し」と呼ぶのがふさわしい、手すりも何もないコンクリートの板だ。

「そっちで待ってて」

ぼくは言う。けれど彼女はきかないで渡ってくる。ぼくもじっとしてられなくて、渡る。

そしてぼくたちは、ちょうどまん中で立ち止まり、向き合った。

「いいって言ったのに」

彼女は「うん」とはにかむ。

「なんでここに？」

「ええと……」

スカートの前で持ったバッグを前後に揺らしながら、

「最初は本を読んでのんびり待とうって思ってたんだけど……なんか、じっとしてられなくて」

それは。

それは——ちょっとでも早く、ぼくに会いたかったってことだろうか。

はっきり言葉で聞きたい、たしかめたいって気持ちが出たけど、我慢した。

「そっか」

だからぼくは、笑顔でなんとなく言った。

「じゃあ行こっか」

「うん」

駅前へと向かいはじめる。

たった一日会ってなかっただけなのに、それ以上に会ってなかった感じがした。

彼女もそうなのだろうか。そういう気持ちでここまで来てくれたのだろうか。

だとしたら、あまりの嬉しさでどうにかなってしまいそうだ。

「あの黒い小屋、風景画で描いたんだよね？」

「ああ、一回のときの課題で。B評価だったかな」

「まあまあ？」

「まあまあ」

ぼくはふと思い出す。

「ごめん、待って。……写真撮っていい？」

「わたしの？」

「うん。友達に見せろって言われたんだ。上山って昔からのダチなんだけど、その……今回のこと、いろいろ相談に乗ってもらって」

「え、そうなんだ？」

彼女は興味を持ったふうに言い、

「うん、いいよ」

快くうなずいた。

「ありがとう」

ぼくはケータイを取り出す。

「やっぱり、ここかな？」

彼女がとことこと石橋に寄り、黒い小屋をバックに立つ。

「そう。そう言おうと思ってたんだ。ちょっと待って」

後ろへ移動しながら、いい構図を探す。――よし。

「じゃあ撮るよ」

画面の中で、彼女が表情や居住まいを正すのがかわいかった。

ボタンを押し、カシャリと鳴る。

「どんな感じ？」

「よく撮れたと思うけど」

ぼくが見せると、福寿さんはじっと吟味するまなざしをして、よし、と言うふうにうなずいた。こういうところはやっぱり女子らしい。

古い木造一軒家が並ぶ、通い慣れた道。

ぼくはふと、日頃使っている道を彼女と一緒に歩いていることの新鮮さに気づいた。

隣を見る。

彼女はいつものおっとりした可愛らしさをにじませ、普通に前を見て歩いていた。

――ぼくの恋人なんだなぁ。

すると彼女が振り向いてきて、

「なんだい？」

おどけた口調で聞く。

「いや」

「気になる」

ちょっと拗《す》ねたような響き。

見上げてくる目にぼくはあっさり観念して、これまでそうしてきたように正直なことを言う。

「……恋人なんだなって」

うわ、すごい恥ずかしい。

「なんか、こうしてるのが信じられないっていうか……」

アスファルトに視線を落としながら、軽く頭をかく。

「嬉しいんだ」

彼女は何も言わない。振り向くと、陽にあてられたように目を細めている表情があった。

ぼくの言葉を嬉しいものとして歓迎してくれたことが、伝わってきた。

なんて幸せなんだろう。

好きな人と両想いでいること以上の幸せが、この世にあるのだろうか。

「わたしね」

「ん？」

彼女はどこか申し訳なさそうに目を伏せながら、

「癒し系じゃないよ？　よくそんなふうに言われるんだけど」

「いいよ」

「けっこうわがままっていうか、自分は自分！　みたいなところがあるよ？」

「いいよ」

「あと、食べものでかなり機嫌が左右されるよ」

「いいよ」

「いいの？」

「いいよ」

「そっか……」

彼女はちょっとおいしいものを食べたときみたいにつぶやく。

「じゃあ、あらためてよろしくお願いします」

そのおどけた照れ笑いに、ぼくもおどけた丁寧さで応えた。

「こちらこそ」

くすぐったい。端《はた》から見ると、ほんとバカだと思う。完全、バカップルだ。

なんていいんだろう。

そのとき、彼女が鼻をしゅんと湿らせ「あーあ」と笑う。

「そうだ、あとひとつあった」

彼女が少し濡れた目をしながら。

「わたし、だいぶ涙もろい」

2

実際、彼女はよく泣いた。

「呼び方どうしようかなって」

「ああ」

「福寿さん、って呼び続けるの、なんか違う気がして」

「わかる。潤いがない」

「潤いって」

「大事なことだよ」

「そういうのって、みんなどうしてるのかな。ぼくは、その、あんまり慣れてないから」

「じゃあ今だよ。わたしもこういうの、初めてだけど」

「だな」

「だね」

「じゃあ………愛美ちゃん。かな。どう？」

「うん、いいと思う。じゃあわたしは高寿くん、かな」

「うん。じゃあちょっと呼んでみるな？」

「おうよ」

「おうよって」

「恥ずかしいんだもん」

「……。――愛美ちゃん」

「はい」

「…………」

「……高寿くん」

「はい。うわやばいな」

「だね」

「だな。……えっ？」

「ああごめんごめん。なんかじんときちゃって……」

「いいけど」

「潤いだよ」

「潤いかぁ」

西内くんのマンションに集まったときもそうだった。

大学の友人、京阪組の西内くんは観月橋《かんげつきょう》にあるマンションに一人暮らししていて、そこがぼくたちグループのたまり場になっていた。

その日は久しぶりの飲み会で、ぼくにとっては愛美ちゃんのお披露目《ひろめ》でもあった。

待ち合わせで紹介してから部屋に落ち着いたところまで、みんな彼女のかわいさに緊張して、ぼくに対して「マジか」みたいな反応をしていたのが、ぼくには鼻高々でなんとも誇らしかった。

それはちょっといやしい心かもしれないけれど、どうしたって感じてしまうのだった。どうだぼくの恋人、と。

彼女は最初、とても控えめにしていたのだけど、ぼくたちが酒やつまみを並べるのにもたもたしはじめたとたん、

「このへんは全部あけちゃって、大きいお皿にまとめようよ。西内くん、お皿ありますか？」

「あ、あと割りばしとコップもいるよね」

というふうに、一気に場を仕切りだした。

彼女はすごくてきぱきとしていて、どうやらそれは気遣いというより、もたつくの

が嫌いで「ちゃっちゃとしたい」性分からだというのがわかったり、さらには、

「いま揺れた？　揺れたよね？　震度いくつかな？」

積極的に場を作ろうとするアクティブな協調性を持つタイプだとわかったり、そういうことをこなした彼女からは『わたしできる子！』というドヤオーラがほんのりにじんだりするっていう——新たな一面を知ることができた。

そんな彼女も、ゲームは下手だった。「そこまで？」とみんなツッコんだくらいド下手だった。運動神経がまるでないことも白状した。

あいつらはぼくの失敗談や変わったところを話して、彼女はそれを興味深そうに聞いていた。

ぼくは「やめろよ」と言いながら、おかしな話だけど、恋人がいる状態っていうのを実感して、こっそり嬉しくなったりした。

そして、そろそろお開きの空気が出たときだった。

お酒が大好きでかなり強い、という一面をぼくたちに知らしめていた彼女が、急に泣き上戸になったのだ。

「みんな、これからも高寿くんと仲良くしてね」

とか、めそめそしながら言いだした。

林が「お母さんみたいだ」とツッコむと、

「高寿くんが貧乏になったら、お菓子送ってあげてね」

なんて返すから、ぼくたちは笑って、解散になった。

夜の帰り道、彼女が橋を渡りながら「観月橋っていい名前だね。観る月の橋って、趣あるね」と言ったから、二人で仰いで月を探した。


ほどなくぼくは、丹波橋のアパートで一人暮らしをはじめた。

大学までの往復がきつくなってきたことと、親父とのケンカが絶えなかったことと、あとはまあ、彼女と会いやすいように。

そのわりに丹波橋という場所は中途半端で、どうしてもっと奥の叡山沿いまで行かなかったのかは、自分でもよくわからない。

3

『じゃあ明日、遊びに行っていい？』

引っ越しが終わった日の夜、彼女と電話していた。

「え。いや、まだほとんど荷物解けてないし……」

『手伝うよ』

「うーん……」

『だってそれで今日、会えなかったんだよ？』

甘える声で抗議してくる。ぼくは頭の奥まで幸福感でとろけながら、

「まあ、そうなんだけどさ」

冷静なふりで言う。すると彼女は、

『そうだよ。なのにさ』

ぷんぷん、という感じで言った。お互いわかりながら、じゃれ合っている。

「でも昨日会ったじゃん」

『あーなにそれ。潤いがない』

「出た」

『なによー』

ああバカだ。甘々だ。最高だ。

『もしかして重い？』

彼女がわずかに声のトーンを変えてきた。

「なにが？」

『毎日会うの……』

「そんなことないよ」

そう。付き合いはじめてから、ぼくたちはほとんど毎日会っていた。

彼女はとても寂しがり屋で、休みの日はもちろん、平日も大学が終わったあとに「会いに行っていい？」と合流してきた。

上山に聞いてみると「最初はそんなもん」と言っていた。なら、そういうものなのか。

河原町をぶらついたり、美術展を観に行ったり、大学を案内して一緒に学食を食べたりした。

「愛美ちゃんと会うの、楽しいよ。ぜんぜん苦にならないし——うん、ほんとにそうだな」

言いながら気づく。毎日顔を合わせれば飽きたりいやになったりしそうなのに、いつもするする時間が過ぎてしまっている。

「なんだろうな」

『なに？』

「相性がいいのかな」

『……うん』

彼女のじんとした声が、電波のノイズ混じりに伝わった。

「潤った？」

『潤った』

それからぼくたちは、しばらくどうでもいいことを話した。

「……じゃあ、十時に駅の改札で」

『うん』

「おやすみ」

『うん、おやすみ』

「うん」

『うん……』

「終わんないよ」

『だね、おやすみ』

「おやすみ」

耳からケータイを離すとき、かすかに吐息が聞こえた。彼女がなにげなくする息の音は、彼女の印象から意外に感じれるくらい色っぽい。

時刻を見ると、二十三時四十分。

彼女の家のルールらしきものが、もう一つあった。

門限と電話は午前〇時まで。

携帯電話を持たせないくらい厳しい家のわりに、〇時というのは微妙な線だなとは思う。

4

淀屋橋《よどやばし》行き特急が着いて、電光掲示から表示が消えた。

ほどなく、ホームの階段からわらわら人が上がってきて改札を抜けていく。

ぼくはその正面の壁にもたれながら、上ってくる人たちを注視していた。

時間的に、この電車で着いた可能性が高い。

普通なら電話やメッセージですぐに確認できるのだけど、彼女は携帯電話を持っていない。だからこうしてこの乗客の中にいるのか、次の電車なのかわからないまま、改札向こうの階段をそわそわしながら見ている。ああ昭和ってこんな感じだったのかな、とか思う。

愛美ちゃんの姿をみつけた。

瞬間、心がぱっと晴れ上がる。

彼女もぼくをみつけて、幸せそうにほころんだ。

軽く手を挙げて応える。ぼくたちはもどかしく互いの距離を詰めた。

「お疲れ」

「お疲れ」

「行こうか」

「行こう」

「あ、ここでお茶買っていこう。部屋、何もないから」

「お。男の一人暮らしって感じですなぁ」

売店でミニペットを二本買って、西口の階段を下りた。

ダイレクトに住宅街が広がる。

「へぇー」

「駅前、なんもないんだよ」

「買い物とか、どうしてるの?」

「あっちの方にスーパーと商店街があるんだ」

「なるほど」

なだらかな坂を下り、左に折れる。

「なんか、やっぱり京都って感じだね」

「ああ、どこがどうってわけじゃないけど、雰囲気あるよな」

「そう」

「言っとくけど、ほんと狭いし、ボロいから」

「うん」

「あれ」

言って、ぼくは三階建てのアパートを指さした。

「へぇー」

アパート入口のすぐわきに、一台の洗濯機と乾燥機が置いてある。

「なにこれ?」

「コインランドリー、らしい。部屋に洗濯機置けないから、ぼくもここを使うと思う」

「面白い。乾燥機三〇分一〇〇円かぁ」

「ほんと変だよな」

家賃安かったんだ、と言い訳しつつ、階段を上っていく。最上の三階、コンクリートの狭い通路に並ぶ緑色のドアの五番目が、ぼくの部屋だった。

鍵を開ける。自分の家、独り立ちした、って実感できて、ぼくはこの瞬間が好きだった。

野球のベースを二つ並べたほどもない土間《たたき》、壁に押し込められたようにくっついている窮屈なコンロ台とシンク。

そこを抜けた先に、なんちゃってフローリングの六畳間がある。床には実家から持ってきた布団とケータイの充電器、テレビ、タンス代わりのカラーボックス、いくつかの段ボール箱があった。

「ぜんぜんきれいじゃない。さっぱりしてる」

「越したばっかだし。お茶飲む？」

「いいよ。荷ほどきやっちゃおう」

彼女が部屋の荷物をチェックする。

「あ、キーボード！　弾いてるって言ってたね」

「まだ一曲しか弾けないけど」

「えーあとで聴かせて？」

「いいよ」

「やった。ね、あんまり荷物ないね？」

「このスペースだろ？　本とかだいぶ置いてきたから、実は荷ほどきするのあんまないんだ」

「えー」

「でも、ちゃんと残しといたから。起きたときやろうとしたの我慢して」

「むぅ。よしとしよう」

言って、彼女はバッグから髪留めのゴムを取り出した。

「じゃーん、ゴムひーもー」

「ドラえもんだ」

「え、なに？」

「ドラえもん。似てたじゃん」

「あー……そうかな？」

目がちょっと泳いでいる。

「ひょっとして……観たことない？」

「んーええと……うん」

「へぇ、変わってるなあ」

子供の頃とか、一回は観るものだと思うんだけど。

「でも、聞いたことはあるんだよ？」

ちょっとむきになったふうに言いつつ、彼女は背中に少しかかる髪をゴムでまとめ、ポニーテールにした。

露わになった白い首筋と新鮮なシルエットに、ぼくははっとなる。

久しぶりの緊張は、付き合う前に感じていたものとは種類が違い、なんだか後ろめたさを覚えるものだった。

カノジョを自分の部屋に招く――なんて定型のシチュエーションと、そこにつながるベタな連想が浮かびそうになって、ぼくは奥歯を嚙《か》んで追い払った。

そんなぼくの葛藤なんて知るふうもなく、愛美ちゃんは体にフィットした動きやすいカットソー一枚でてきぱきと作業をはじめている。

全体として細くやわらかな曲線が滑らかに動く印象で、その女性らしい質感は芸術的だと思った。

そう。そういうものだ。彼女はそういうものなんだ。

「ね、この教科書類はどこに並べたらいい？」

「そのへんに積んどいて」

「棚とかないの？」

「うん」

「あとで立てるやつ買おうよ。あった方が便利だよ？」

「えー、めんどくさいなぁ」

「一〇〇円ショップで売ってると思うよ？」

「うーん」

「とりあえず、積んどくね」

……あとで買うことになりそうな予感。

積み終えた彼女が、べつの段ボールを開けた。

「これは『ドラクエ』だね」

「ああ、ガキの頃に最初に買ったCDなんだ」

「わかる。最初に買ったCDって大事に持つよね。こっちは？」

「Ｐｅｒｆｕｍｅ」

そこには本やCDが入っていて、つまりはぼくの趣味が丸わかりなのだった。想定してなくて照れくささを感じつつ、恋人には知ってもらった方がいいよな、とも。

そんなことを思いながら、彼女が「これどうやって置いていこうかな」と考えている表情を見ていると、なんかいいなぁ、と。恋人なんだなぁ、と幸せを感じた。

「いいよ、そういうのは段ボールに入れたままで」

「でも、ラックに入れた方が便利じゃない？　どこに何があるか見やすいしさ」

ラックも買わされそうな予感。

「わたし、引越祝いで買うよ」

これは押し切られる。

そしてまた別の、小さな段ボール箱を開けた。

一番上に、厚い文庫本くらいの茶色い箱があった。

ああそうか、あそこに入れたんだ。

十年前、命の恩人から預かった箱。そういえば、彼女にまだ話していなかった。

「その茶色い箱さ、ぼくがガキの頃に――」

「これマンガっ？」

話そうとした直後、彼女が隣に積んである自作マンガを指さす。

「え？　……ああそれ。小学生のときに描いてた、ドラクエのマンガ」

「ドラクエ好きだねぇ」

「絵とか描きはじめたきっかけだから」

「そうなんだ」

「うん」

「読んでいい？」

「うん」

二つ折りにした自由帳をホッチキスで留めた冊子。生意気にカバーイラストとロゴを描いている。彼女がページをめくると、定規でコマ割したエンピツの絵が展開した。

「へー」

「下手だろ」

「小学生でこれだけ描けたらすごいよ」

「休み時間に描いて、クラスの友達に見せてたんだ。一巻からぜんぶ道具箱に入れてさ。『続きまだ？』とか聞かれるの嬉しかったなあ」

「クリエイターだねぇ」

つぶやいた彼女が、まっすぐにぼくをみつめてきた。

「高寿くんは、ずっとそうなんだね」

あたたかくて、奥底まで届いてきそうなまなざしだった。

ぼくはその純粋さに、はにかんで目を逸らす。

「下のは、クロッキー帳？」

「あ、そこにも入れてたっけ」

受験のため絵画教室に通いだしてから使うようになったマルマンのクロッキー帳。

茶色の表紙に毛筆で『8』と書いてある。

「八冊目ですか」

「それはちょっと前のやつだけど。落書き帳なんだ」

そして、小説のアイデア帳でもある。

「見てもいい？」

「うん」

……そのとき、ぼくは決心をした。

小説を書いていることを彼女に明かし、読んでもらおうと。

なんだそんなことって思われるかもしれない。けどそれは誰にも隠してきた、ぼくにとって最大の秘密だった。

ぼくは絵だけじゃない、さらに隠しているものがある——そんな、客観的に見ると本当に子供くさい「秘密兵器」的な支えで、他人に知られるのが怖い自分だけの宝物だった。

どうしてそんなに隠したいのか、はっきり言えないけど、知られると何かが減ってしまうような、損なわれてしまいそうな、そんな根拠のない怯えがあった。

でも。

「……ぼくさ」

同時に、誰かに見せたいって気持ちもあるんだ。

「実は、小説書いてるんだ」

クロッキー帳から目を離し、振り向いてくる彼女。

ぼくは出会った日と同じくらい心臓をどきどきさせながら。

「絵だけじゃなく、小説もずっと書いてるんだ。誰にも見せたことないし、内緒にしてるんだけど」

ぼくの空気が伝わって、彼女が真剣な顔になっている。

誰かが階段を下りていく微かな金属音が聞こえた。

「うん」

彼女は明るい目で言う。

「すごいね。え、どんな話?」

その輝く笑顔に、ぼくの宝物が照らされたような気がした。

減りもせず、損なわれもせず、ただ……解放されたようなすっとした喜びがあった。

5

それから、ぼくたちは昼食のため商店街に向かった。

「京都はほんとに道、まっすぐだよね」

彼女が言う。

「ああ、最近ネットの地図で見たら軽く感動したよ。ほんと碁盤の目みたいになってて」

「えっ、見たい」

ぼくはケータイで見せた。

「おおー……」

「な？」

「うん、すごい。――あっ、ああいうの」

十字路にある、地蔵の祠《ほこら》を指さす。

「ああいうのがたくさんあるのも、っぽいよね」

なんていうことを話しながら、商店街に着いた。

伏見《ふしみ》桃山《ももやま》駅に連なるこの商店街は、長い通り沿いに各ファストフードのチェーン店が軒を連ねていたり、かなり賑わっているスポットだ。

「すごいね、三条にも負けてないね」

「だろ。あとごめん、昨日一回来ただけだから、店とか知らない」

「じゃあ一緒に見て回ろうよ。いい店あるか」

「だな」

ぼくたちは人混みにまじって、通りをゆっくり下りはじめた。

「昨日はどこに行ったの？」

「食器買ったんだ。陶器屋さんで」

「陶器屋さん。なんかよさそう」

「百均でも揃《そろ》うけど、ずっと使うものだしさ」

「わかる、それ」

「丼買うときさ、店のおじいさんが叩いて音を聞くんだよ。たぶんヒビとか入ってないか確認するために」

「わーなにそれ」

「いいだろ」

「いい」

「今度なんか買うとき、行こう」

「うん」

会話が一段落し、まわりを見ながら歩いていると、

「ね、見て見て」

彼女が左上を指さす。

お茶屋さんの軒に『Ｔｅａ　Ｒｏｏｍ↓』と書かれた木の看板があった。矢印は店の奥を示している。

「気にならない？」

「たしかに」

「ね、覗いてみようよ」

店の前から覗いてみると、茶葉を売ってる店の奥に明るい雰囲気の喫茶スペースが見えた。

「いい感じだねぇ。ねえ、あとで行ってみない？」

「いいよ」

そしてぼくたちは、お金の都合もあって昼ご飯はバーガー一個ですませ、その店に行ってみた。

グラム一〇〇〇円とか、ぼくにはとても手の届かない茶葉が並んだ店をどきどきしながら通り抜け、喫茶スペースに入った。

明るい木目とお茶に似たグリーンで統一された、こざっぱりとした店だった。

「いいね、日本茶のカフェって感じ」

彼女はほくほくしている。

テーブルに案内され、メニューを見はじめたとたん――彼女は沈黙した。

眉間にうっすら窪みを浮かべながら、写真や文字を丹念に追い、また最初のページに戻る。

そうなのだ。

普段は「もたもたするのいや、ちゃっちゃとしたい」がモットーの彼女だけど、『魅力的なものの中から一つを選ぶ』というシチュエーションにおいては死ぬほど迷う。そして、それはたいてい食べ物に関してだった。

「……高寿くんは、何にする？」

「ぜんざいかなぁ」

「！　あっ、いいね、たしかに押されてるし……」

「抹茶ロールと迷うけど」

「‼　たしかにっ、たしかにっ、これもおいしそう。……その二択……かなぁ。……でも」

一〇〇〇万円がかかった四択クイズみたいに深刻な表情で向き合っている。

ここでぼくが「こっちにすれば？」と言っても、彼女は自分で決めたことじゃないと納得しない。こと食べ物になると絶対に譲らない。

「……抹茶が付くんだよね。抹茶と抹茶ロールの組み合わせ………──抹茶ロールでっ」

そう言ったときの、彼女の目の輝きと言ったら。

「ぼくがぜんざい頼むから、ちょっとずつ分けようよ」

注文を終えて、雑談をする。

「でもびっくりしたよ。小説書いてるなんて、すごいね」

彼女の言葉に、ぼくはまわりに聞かれていないか気にしてしまう。我ながら過剰な自意識だと思う。

「あ……ごめん」

「いや、ぜんぜん。その話しよう」

すると彼女は、逆にそうした方がいいんだという流れの判断をして、

「どんな内容なの？」

「ヒロイン……クラスメイトの女子が、アンドロイドだったっていう話」

「ほう」

「主人公の男は、偶然それを知ってしまうんだ」

「へぇ。ジャンル的には？」

「恋愛だと思う」

「ほほーう」

そのとき、カウンターにいる店主らしきおばさんが「ゆうこ」と呼んだ。

フロアに出ていた高校生らしきウエイトレスが戻っていく。たぶん娘で、店の手伝いをしているのだろう。

「ゆうこだって」

彼女が面白そうに囁《ささや》いてくる。

「すごい偶然だね」

「何が？」

「何がって、なま――」

そこで彼女が、はっと言葉を止めた。

ぼくも、はっとなる。

ゆうこ。すごい偶然。たしかにそうだ。

なぜなら――小説のヒロインの名前が『優子《ゆうこ》』だから。

でも彼女がそれを知っているはずがない。だってまだ読んでいないのだから。

「あ、ええと……」

彼女が目を伏せる。唇を笑みの形にしながら、肩が微動だにしない。ものすごく焦っているふうに映った。

ぼくも緊張してくる。と――

「ほら、さっきのバーガー屋さんでもさ、いたじゃない？　ゆうこちゃん」

「……いたっけ？」

「いたよー。向かいの――高寿くんから見たら後ろになっちゃうけど、そこの女の子二人組」

「……………」

「その片方がゆうこちゃんだったんだよ。話す声とか聞こえなかった？」

「……聞こえなかった、かな」

「そうだったんだよ」

彼女はうん、とうなずく。

でもぼくは、完全に納得できたわけじゃなかった。

「そういやさ……前もこんなことがあったよね」

「……なに？」

「キリンのクロッキー」

「あー……。わたしほんとに言った？」

「言ったよ」

「う～ん」

顔をちょっとしかめながら水を飲む。その表情が不覚にもかわいい。

ぼくは冗談めかして、こう言う。

「愛美ちゃんってさ、予知能力とかあるんじゃないの？」

彼女はグラスに口をつけたまま、意外なことを言われたと目を大きくする。グラスを置いて、いたずらっぽく首を傾げた。

「あったらどうする？」

「え……」

「わたしに予知能力があったら、高寿くんはどうする？」

「………」

どうなんだろう。リアルに想像して。

「……すごいなって思う」

「あはは。そうだねぇ」

彼女は笑う。

「もしそうだったら、ギャンブルとか当てたい放題だよ？　高寿くん、お金持ちだよ？」

「金は自分で稼ぐよ」

「おっ、男らしいね。じゃあ、自分の未来はどう？　小説家になれるのか、とか」

「………」

「あなたの未来がわかるって言ったら、どうする？」

試すようにみつめてくる。

心拍数が上がった。耳の付け根あたりが痺れて、額に汗がにじみつつあるのを感じる。

「……――いやっ、いいっ。知らなくていい。大丈夫！」

首を振るぼくに、彼女がぷっと吹き出した。

「まあ予知なんてできないんだけどね。わたしは普通の人間です。残念でした」

そんなふうに話が収まった。

向こうのカウンターで、黒いエプロンのお姉さんが抹茶をたてはじめる。

「あれきっと、ぼくたちのだな」

振り向いた彼女も、

「だね。いいねぇ。あのお姉さん、茶道とかやってるのかな？　すごく様になってるね」

たしかに茶筅《ちゃせん》を回す手つきがプロっぽい。お姉さんは凛《りん》とした京風の顔だちで、京都はいたる所にらしさがあるなと感じた。

ほどなく、運ばれてきた。

「わあーっ、おいしそうだね」

「ああ」

ぼくはお椀を手にし、ぜんざいをすすった。

ほっこりした熱い小豆が、どろっと口に入ってくる。うん、うまい。

向かいでは、まさに彼女がフォークで掬《すく》った抹茶ロールを食べるところだった。

口に入れてすぐ、瞳がくわっと大きく開く。おいしかったようだ。

「ん～～っ」

握りこぶしと足を小刻みに振る。そうとうおいしかったようだ。

「正解！　抹茶ロール、正解！」

テンション高く悶える。まわりの人がちょっと気になるけど、かわいい。

「そんなにおいしい？」

見返してくる表情がてかてかしている。ここまでの反応はピザ以来かもしれない。

「クリームがね、クリームがすごくいいの」

言って、抹茶を飲む。

「……あー」

冬に温泉にでもつかったような声を出す。

「一口いい？」

ぼくはぜんざいを差し出しつつ言う。

「ん」

交換して、ぼくは抹茶ロールを一口食べた。

おお、たしかにクリームがおいしい。上品な香りだけど、ボリューム感がある。

「うまい」

「でしょ？」

彼女はぜんざいをすすった。——何も言わないけど、顔でわかる。ぼくもそう思う。

「抹茶ロール正解だったな」

「でも、ぜんざいもおいしいよ」

「うん」

ぼくは二口目をすすりながら、カウンターでおばさんが洗いものをしているのを眺める。

ふと思った。昨日ここを通ったとき、ぼくはあの看板に気づいていなかった。もし気づいたとしても、ぼく一人なら入らなかっただろう。彼女がみつけて、彼女がいるから入った。

そんな、なんとなくのことを。

向かいの席で、彼女が幸せそうに抹茶ロールを味わっている。

この表情が見れるのなら、またいろんな場所に行って、おいしいものを食べさせたい。

そう感じた。

商店街のアーケードを抜けると、空がすっかり夕方の色になっていた。

五時間という長い時が、話したり一緒にあちこち見て回っているうちに過ぎてしまう。

「早いね」

「うん」

ぼくと彼女のよくするやりとり。

「そこの伏見桃山からでも乗れるけど……?」

「丹波橋まで行くよ。急行止まんないし」

「そうか」

「うん」

ぼくの手には、百均で買った本立てが入ったビニール袋。ラックはない。ぼくと彼女の話し合いで辿《たど》り着いた妥結点だ。

「バイト頑張ってね」

「ああ」

六時から弁当屋のバイトが入っている。昨日面接して今日出勤という慌ただしさだ。弁当屋にしたのは、ごはん代が浮くと思ったから。

「アパート見えてきたね」

彼女がそんなことをつぶやく。

「改札まで送るから」

「荷物置かなくていいの？」

「これくらい」

薄く暮れた道には、あまり人通りがない。銭湯に人が入っていくのを見て「ほんとにやってるね」とか、軒先で「今日揚げ物だね」とか言い合う。

「うーん」

彼女が伸びをする。

背骨をしなやかに曲げて、細い腕をすらりと天に伸ばす。その磨かれた白さ。反らせた胸が、普段は意識させせない豊かな膨らみを作る。

ぼくは目を逸らす。

彼女に対するぼくの想いは、自分でも驚くくらい中学生みたいに純粋なもので、そういうふうに見ることにとても抵抗があった。

付き合いはじめてまだキスはおろか手をつないだことさえないのは、そういう思いからだった。

それじゃいけないことはわかっている。初恋があえなく自然消滅したのは、そのへんも大きな原因だった。

「愛美ちゃんは、帰ってから何するの？」

「勉強かな」

大事にしたい、汚したくない、という気持ちが、相手に誤解されたり不安にさせたりする。

嫌われたらどうしようという怯えが、前に進めなくして、あっというまに行き詰まらせる。

わかっている。わかっているんだけど。

何もかもが初めてで、やり直しができないと思うと、なかなか簡単にはいかないのだった。

——でも。

手をつなぐくらいなら、いけるんじゃないか。

ぼくは今、そう思うことができていた。

「今度はごはん作りにくるね」

今日までの積み重ねで、彼女は鈍感なぼくにもわかりやすく好意を示してくれたから。それが勇気と自信を与えてくれたから。

先の道に、人影はない。

「あのさ」

ぼくは、できるだけなんでもないように切り出した。

「手……つなごうか」

……、が入ってしまったなと思う。

彼女はおや、というふうに見てきて、すぐに、

「うん」

少し照れ混じりに微笑んだ。

ほっとする。

ぼくはぎこちなく手を伸ばし……彼女の指と掌《てのひら》を包んだ。

小さくて、細くて、すべすべして、意外なほどひんやりしている。

男の手とはぜんぜん違う。

胸がコツコツとして、自分の心臓が大きく動いているのがわかった。

いいなぁ、と思った。カップルらしいことができているとかじゃなく、なんというか、ぼくと彼女が受け容れ合っていることが手の感触として確かめ合うことができている実感が、幸せだった。

浮かれてぽかぽかしていたぼくは、隣の空気の揺らぎに気づいて振り向く。

彼女が涙を溢《こぼ》していた。

自分でも驚いた表情をして、苦笑いのようなものを浮かべ、目を閉じてうつむく。

「違うの」

「わかってる」

きみは泣き虫だからね。

「嬉し泣き、だろ」

「そう」

……ああいけない。

泣いたきみを見ながら、ぼくはまた神聖で清らかな心になっていく。

そのまま、丹波橋の改札に着いた。

「じゃあ、バイト頑張って」

「ああ」

「次はごはん作るね」

「楽しみにしてる」

彼女は何度も振り返りながら、ホームへの階段を下りていった。

ぼくは挙げていた手を下ろし、余韻を抱えながらアパートへと帰る。

部屋に戻ると、そこには彼女の荷ほどきの成果があった。

きちんと積まれた本や畳まれて隅にまとめられた段ボールには、ぼくとは違う手によるものだという風合いがあって、ぼくに人が帰ったあと独特の寂しさを感じさせる。

彼女との一日に満足感を覚えながら、清らかな心を引きずりながら、これからどうすればいいか、少し悩んだ。

6

ペンクロッキーを終え、ぼくはいつもの待ち合わせ場所──三条駅のクネクネした三本柱に行く。

彼女はいつも、ぼくより早くそこに立っている。

「早いね」

「まあね」

そんな軽口を言う。出会った頃なら「たまたま早く着いたの」みたいに言っただろう。

「高寿くんが遅すぎるんじゃないかな」

「五分前だし」

「まあね」

「まあね言いたいだけじゃん」

くすりと笑った彼女の髪が揺れる。その艶がいつもより強くて、全体的に整った印象だと気づいた。これは彼氏として言わないといけないだろう。

「髪、なんかきれいだね」

「おっ。美容室行ったの」

「切った？」

長さがほとんど変わってないように見える。

「うん、切ったよ。わかりにくいかもだけど」

改めて見ても変化がわからない。女子の感覚ってことだろうか。でも「それ行く意味あるの？」と言ってしまうほど、ぼくは愚かじゃない。

「ちょっと、気持ち切り替えたくて」

「なんかあった？」

「んーなんとなく。高寿くんこそ切らないの？　それ、だいぶ伸びてない？」

「え？　ああ……」

前髪をつまむ。客観的に長いと言われるほどじゃないけど、たしかに本来切るタイミングよりひと月以上経っている。

「そういうの、わかるんだ」

「まあ、だいたいね」

さすが専門学生。

「なんか、どこまで伸びるかやってみようと思ってさ。一回くらいロン毛――」

「だめだよ！　キモいよ！」

「キモ——」

「ロン毛はちゃんとセットしないと不潔なだけだよ。高寿くん、そういうのしないでしょ？　めんどくさい人でしょ？」

「……うん」

「なら、短い方がいいよ。絶対」

最近の愛美ちゃんは、こういうことも率直に言ってくる。

「でもお金、節約しなきゃいけないし……」

「だったらわたしが切るよ。今ハサミ持ってるから」

ぽん、とカバンを叩く。

「じゃあ行こ」

「えっ」

彼女が改札に向かって歩きだす。ぼくはあわてて横に並んだ。

振り向くと目が合って、なんとなくの合意で手をつなぐ。今は落ち着いたけど、初めてつないだ翌日や次の日なんかは、彼女はたくさん手をつなぎたがった。ぼくはそれが面はゆくて、嬉しかった。

「そうだ。読んだよ、小説」

ばくん——と心臓が膨れた。

そう。あれからぼくはプリントアウトした作品を彼女に手渡し「感想を聞かせてほしい」と頼んでいた。

「感想はね――」

「部屋で聞く！　部屋で聞くから！」

ぼくは手を離し、財布から慌ただしく定期を取り出す。

「そんなに急いでも、電車の時間は変わらないよ」

彼女がくすくすと笑う。


部屋の座卓に、向き合って座っていた。

ずっと頭から離れなかった。

原稿を渡してからの二日間、「もう読んだかな？」ということが朝から晩まで気になって、電話をかけようとして、むしろいろんなことを考えてしまって、かけられなかったりした。

視界に映るリラックスした様子の彼女が、ぼくにはとてもおっかなく見えた。

「感想はね……」

動悸が跳ね上がる。

と、彼女はわきに置いたカバンを開け、そこから薄い水色のレターを取り出した。

「手紙に書いてきましたっ」

「おお」

意表を突かれ、ぼくはあいまいに言う。

「はい」

「ありがと」

受け取って、中から便せんを出し、読みはじめた。

高寿へ

まず、読ませてくれてありがとう。
誰にも話したことのない秘密を見せてもらったことが、
すごくうれしかったです。
びっくりしたよ！
こんなページ書けるなんて、それだけですごい。
わたしはムリだろうなぁ…。めまいがしそう(笑)

そんなこと、どうでもいいね。感想だ。
すごく面白かったです。
優子ちゃんがかわいくて、正体には驚いたけど、せつなくて。
泣いちゃってるシーンは、わたしも泣きそうになったよ。
笠原くんも、しょうがないけど
「もっとやさしくできないかなあ！」って言いたくなったり。(..・ ・..)
特に後半からはぐいぐい引っ張られて、
用事で中断したときは「早く続きが読みたい！」って
思ってました。

これを高寿が書いたんだって思うと、本当に尊敬する。
なんかうれしくなっちゃった。
わたしももっと頑張らなきゃなぁって刺激をもらいました。
なんだかとりとめないので、このへんで！
これからも、たくさんの作品を書いていって。

愛美より

＊ひとつだけ気づいたこと
地の文で「ってような」っていうのを連続で使うと、
文章がぼやけてわかりづらくなるって聞いたことがあります。
そういうのがあったなあっていうのは気がつきました。
でも、どうなんだろうね
('・・`)??

読み終えたとき、指の力が緩み、便せんが微かな音を立てた。

とても丁寧に考え、書いてくれたことが伝わる手紙だった。

「…………」

雪解けの川のように安堵が流れ、春の喜びがむくむくとこみ上げる。

早く続きが読みたい、という部分を読んだときは特にやばかった。

便せんから目を上げると、向かいの彼女が微笑んで「こんな感じ」とばかり小首を傾げる。

「すごく面白かったよ」

また、どばっと嬉しさが広がった。

「よかったぁ……」

大きく息を洩らしながら、座卓にもたれる。

「すっごいどきどきしてさ。『もう読んだかな？』とか『どう思ったかな？』とか、ずっと気になってたんだ。電話かけようとしてやめたりさ」

高まったテンションで話す。

「続き読みたいって、どのへんで？」

「えっと、朝の公園で別れ話をするところ」

「あそこかぁ……なるほど」

「手紙に書いとけばよかったね」

「いや、いや。こうして直接聞くのが嬉しいし。もちろん手紙も嬉しかった。これ何回も読み返しそうだ。大事にする」

するとか彼女は一瞬じんわりと瞳を深くして。

「うれしい」

と笑った。

その表情がとても魅力的で、いとおしく思った。

「やばい。抱きしめたい」

テンションで口走る。

「抱きしめたらいいんじゃないかな？」

彼女が軽い調子で応えた。

ぼくは流れと、そうしたい気持ちもたしかにあったから、

「よし」

膝立ちで彼女の元に寄って……抱きしめた。

ふんわりと押し返してくるやわらかさと、肌になじむ温かさ。

彼女は何も言わず、動かない。けれど、ぼくに身を預けてくる気配があった。

それが見えない傾きになって、ぼくを押してくる。加速していく流れが、ぼくたち

の空気を変えていく。止まらなくなる――。

こわくなって、体を離してしまった。

「うん。うん――あはは」

笑ってごまかした。

7

彼女の操るハサミが、新品のゴミ袋を滑らかに裂いて平らなシートにした。同じように作ったシートに座るぼくの首にタオルを巻き、たった今裂いたシートを重ねて巻いて、彼女は腕に貼り付けていたセロハンテープ三つで留めた。

「苦しくないですか？」

美容師さんお決まりの台詞を言ってきて、可笑しかった。

「苦しくないです」

「今日はどうしますか？」

「短くしてください」

ごっこ遊びに、くすくす笑い合う。

「短くします」

彼女の櫛《くし》が濡れたぼくの髪を取り、先端をハサミでさりさり、と切る。

「うまいな」

「なかなかやるでしょ」

安い所に行くとたまに下手な人に当たって、そういう人はいかにもぎこちなくて、櫛を何度も落としたりするんだけど、彼女の手つきにはそういう不安が一切なかった。

「できる子オーラ出てるな」

「出てないよー」

「出てるんだって。『私できる！　できる子！』っていうドヤオーラが」

「それ主観なんじゃないかなぁ」

鏡がないので、ときどき彼女が前に回ってくる。変顔で迎えると、ぷっと吹き出した。

「もう」

彼女が軽やかに櫛ですいて、切っていく。ぱさぱさと首や肩に髪が落ちていく。

自分がどうなっているのかわからないから、とても手持ちぶさただ。美容室の鏡って、切られる側にとっても大事なんだなと気づいた。

目をつむると、頭に当たる彼女の指や掌を感じることができて、それがとても心地よかった。

「昔、ドラマか何かで恋人に髪を切ってもらうシーンがあってさ」

「うん」

「たしか海岸だったと思うけど、とにかく絵になる感じだったんだよ」

「ゴミ袋だね」

「そう。ぼくたちは安い1Kアパートでゴミ袋巻いて。現実ってこんなもんだよな」

「こんなもんですよ」

「でもまあ、悪くないよ」

「だね」

シートに散った髪が、だいぶ多くなった。

「さわってみていい？」

「ん」

「お、すごい短くなってる」

「短すぎた？」

「いや、こんなもん。高校のときはもっと短かったし」

短く揃った横の髪が、サラサラといい感触だった。


「一回あった」

「なにが？」

「ゴミ袋着たこと。小六の文化祭で劇やってさ。桃太郎のおじいさんだったんだけど、その衣装がゴミ袋だった」

「えー、なんで？」

「なんでだったんだろう。まあ小学生の文化祭なんて、そんなもんじゃないか」

「劇はどうだった？　高寿くん、うまくお芝居できた？」

「うん、まあそれなりに」

「へぇー。見れればよかったなあ」

「でさ、嬉しかったんだろうな。夜、衣装着たまま寝たんだよ」

「ああ、なんか名残惜しいっていうか、その役から離れたくない感覚だよね」

「そう、そう。愛美もそういうことあった？」

「あったよ」

「……今、ぼく、呼び捨てにしてた？」

「いいんじゃないかな」

「いいかな」

「いいよ」

「……愛美」

「高寿」

「……ちょっと照れるけど、いけそうだな」

「だね」

「愛美」

「高寿」

「……また泣きそうになってない？」

「なってない、なってない。それで？　ゴミ袋着て寝たんだよね？」

「夜中、気持ち悪くて目が覚めてさ。汗びっしょりだったんだ。ビニールが汗吸収してなくて。で、脱いだ」

「布大事だね」

「布大事」

　髪を切り終えた。文句のないできばえだった。


　愛美が夕食を作ってくれた。

　手作りトマトソースのパスタと、サラダ。

　また髪をポニテにまとめてエプロンを着けた愛美に、ぼくは幸せを感じつつ見とれていた。狭いシンクでトマトを湯むきするその姿に「彼女なんだしね」と形にこだわる真面目さと、メニューのチョイスに「手をかけすぎず、抜きすぎず、適度に洒落た」というバランス感覚が表れていて、それがとても彼女らしいと思った。

「うまい」

ぼくの感想に、愛美がほころぶ。

「よかった」

「このトマトソースいいね。トマトから作ると、売ってるものとこんなに違うんだ」

「手作り感出てるでしょ」

愛美は自分のパスタを食べ、納得したふうにうなずく。

「彼女の手料理ってやつだよなぁ。こういうの初めてだけど、なんかすごく嬉しい」

ぼくは、うんうまい。ほんとにうまい。と言いながら食べ続ける。彼女は手を止めて、そんなぼくをじっとみつめていた。

「愛美も食べようよ」

「あ――うん」

「また作ってね。ぼくも何か作るからさ」

「うん」

微笑む彼女がふいに短く息を吸い、瞳をじわりと潤ませた。

「……どうしたの？」

「花粉だよ」

「どこに泣く要素があったんだよ」

「花粉だって」

愛美はほんとうに泣き虫だ。

布団のマットに並んで座って、テレビを観ていた。

最初は番組の内容に笑ったり、いろいろ突っ込みを入れたりしていたけど、だんだんまったりしてきて、言葉が少なくなっていった。

そうするうち、テレビの音が邪魔に聞こえてきた。

「……消していい？」

「うん」

消した。

真っ黒になったテレビが呼吸のような間合いで静まりかえり、部屋の空気がしんと落ち着く。

ぼくたちはただそれを受け容れ、静寂が降りつむままにしていたのだけど、それがぜんぜん苦じゃなかった。何か言葉を発しようとがんばる義務に駆られることもなく、隣にある彼女の存在をぬくもりとして感じながら、それで満たされて、心地よい沈黙に浸っていた。

お互いがそうしているというのが、テレパシーのように共有できた。

隣に向くと、彼女も向いてきた。

キスしたい。と浮かんだ。

共有された。

そこからはほんとうに星が引かれ合うような当たり前の自然さで、ぼくたちは首を傾け、唇を寄せて……合わせた。

拍子抜けするほど簡単にできたキスは、驚くくらいに気持ちよくて、全身に漣が広がっていくようで、なんだろう、頭の奥に「この人だ」という感覚が前よりずっと強く光って……ぼくは感動した。

みんなそうなのだろうか。キスはこんなにすごくて、感動するものなんだろうか。

キスを終えて、ぼくたちははにかんでみつめあう。

そしてまた、ひかれあう。

華奢《きゃしゃ》な体を抱きしめる。

なんでもうまくいきそうな気がしていた。

8

愛美と布団の中でくっつくようにして向き合いながら、些細なきっかけでくすりと笑い合うぬくもりを分け合いながら。

すべてが満ちていて、もうこれ以上何もいらないと心から感じることができている。目の前には美しい人がいて、ぼくを想ってくれていて、微笑んでくれていて、ふれあう肌の幸福な感触があって、ぼくも彼女に同じものを与えながら、互いを想い愛し合っている。

四月の終わりの夜は何不自由ない心地よさで、すべてが、ほんとうにすべてが満ちていた。

どのくらいそうしていただろう。

彼女がもぞりとうつぶせになり、枕元に置いていた腕時計を見る。

「あ……」

「……何時?」

「十一時」

「そうか……」

門限が迫っていた。

ぼくは素早くスイッチを切り替えた。今からだとぎりぎりだ。愛美ともっと一緒にいたくはあったけど、門限を破ってこじれる方が先々まずい。

ぼくは起き上がる。

行こう。そんなふうに声をかけようと振り向くと——愛美が枕に顔を伏せていた。

「……どうしたの？」

少し遅れて、押しつけたまま首を振る。

また動かなくなる。

泣いてるんじゃないか——そう思ったとき、彼女が勢いをつけ、顔を上げた。

「帰りますか」

軽い調子で言って起き、畳んだ服の位置をたしかめる。

「送るよ」

「いいよ、寝てていいよ」

「いいって」

彼女の後ろを通り、服を取りにいく。

着替えながら愛美を見た。下着を身につけている姿がなんともセクシーで、なんだかこう、実感が湧いてきた。うまくは言えないけれど。

彼女がむぅと咎《とが》めるまなざしを向けてきて、ぼくが今どんな顔をしているのか想像できた。

すごくいい感じだった。

部屋のドアを施錠して、ぼくたちは歩きだす。

アパートから道路に出たとき、ぼくはもう少し愛美にふれていたくて手をつなぐ。

余韻なのか、手と手のあいだの温度がいつもよりも熱くて親密だった。

「――じゃあ気をつけて」

ほとんど人のいない改札口で、ぼくたちは向かい合っている。

離れがたい空気の中、ぼくは改札向こうの電光掲示を見た。

「もうすぐ電車来るよ」

「ほんとだ」

掲示をみつめる横顔はとても透きとおっていて、せつなげだった。引き留めたい衝動を払うため、ぼくは下手な軽口を言う。

「〇時までに帰らないと、魔法が解けちゃうよ」

「だね」

愛美はこちらを向いて、名残惜しそうに笑った。

「解けちゃうね」

そしていつものように何度も何度も振り返り、小さく掌を振りながらホームへの階段を下りていった。

見届けたあと、身を翻して帰途につく。

ついさっき彼女と歩いた道を、逆に辿っていく。寂しさもあるけど、それよりも充足の余韻が明かりのように灯っていた。嬉しくて、つい夜空を仰いだりなんかする。

明日からゴールデンウィーク。面白いスポットはないか調べてみよう。そんなことを考えながら、アパートに戻った。

狭いキッチンを抜け、居室の入口でふと立ち止まる。そこに、まだ温かい、というふうに残った愛美の気配を眺める。

百均で買った薄いクッションのわきに、何かが落ちていた。

「……？」

それは小さなメモ帳だった。

だいぶ使い込んでいる。見覚えのないデザインで、たぶんぼくのじゃない。

愛美が落としたのだろうか。でも、ぼくが単に忘れているという可能性もある。引っ越しの荷物から古いものが出てきた、という。

表紙をめくって、最初のページを確認した。

……なんだこれ？

ちゃんとした日本語で書いてあるにもかかわらず、ぼくはこの文章の意味がまったくわからなかった。

ここにある「彼」というのが、ぼくだろうということはわかる。でも今日は四月の

5月23日
1日目。彼にとっては最後の日。
宝ヶ池で写真を撮ってもらう。

5月22日
彼と枚方へ行く。
彼の両親に会う。

5月21日
丹波橋のアパートで
一日一緒に過ごす ★

5月20日
西内くんのマンションで飲み会

二十八日だし、書いてある内容も覚えのないことばかりだし、なんだか暗号でも読んでいる感覚だった。

そしてあと一つだけわかることは、これが間違いなく愛美の文字だということ。

ケータイが鳴る。

思わず、びくりと震えた。

画面の表示は『公衆電話』。ぼくの知り合いで、ここからかけてくるのは一人しかいない。タイミング的にも、おそらく。

ぼくはちょっと緊張しながら、ボタンを押した。

……互いの短い沈黙。何か言おうとしたとき、

『高寿』

「な、なに?」

『メモ帳はもう見たよね?』

そのニュアンスに引っかかりがあり、何が引っかかったのか考える。

「見た……けど」

気づいた。そう、まるで——ぼくに見られることが事前にわかっていたみたいなんだ。

『意味わかんなかったでしょ』

「……正直」

『だよねぇ』

苦笑いの響き。

「あれって――」

『今から部屋に行っていい？』

「え……？」

『実はね、いま丹波橋の駅にいるの。高寿が行ってからすぐ、改札に戻ったんだよ』

ついていけない。

話の流れに、まったくついていけない。

戸惑いながら、ぼくはようやくこんな疑問を口にした。

「……門限は？」

場になじんでいない、間抜けな響きだと気づいた。

『行くね』

その声にはかなしみを堪《こら》えた湿り気があって、それでぼくは電話の相手がたしかに愛美なんだと思うことができた。

『隠してたこと、ぜんぶ話すね』

動揺していた。

通話が切れてから硬直していたけど、すぐにはっとなる。

駅からここまで、すぐだ。

部屋を見回し、とりあえず乱れたままの布団を整えながら考える。

隠していたことってなんだろう。

ぼくは自然と心の準備をはじめる。いろんなケースを思い浮かべていく。

実は愛美には——ものすごく変わった癖か。習慣か。独特な考え方がある。

そのひとつひとつに心の中で「大丈夫。受け止められる」とチェックマークをつけていく。

あるとすれば、そのぐらいのはずだ。大丈夫、大丈夫だ。

心と部屋を整えて、ぼくは座卓の前に腰を下ろす。それからが意外と長くて、焦れたりした。

呼び鈴が鳴る。

すぐに立ち上がり、ドアの元へ行き、開けた。

愛美が、思いつめたふうに立っていた。

ぼくは微笑みを浮かべ、彼女を迎え入れる。

いつものように座卓で向かい合う。

「なんか飲む？」

愛美はちらりと腕時計を見て、首を振る。

「あんまり時間ないから」

「……門限？」

愛美はぼくをみつめ、目を伏せて笑んだ。

「あれは、うそ」

そうかもしれないと漠然と思っていたけど、はっきり聞かされるとショックだった。

「なんで？」

問いかけると、彼女はひと呼吸置いて、

「あのね」

「…………」

「わたしこれから、すごく現実離れした話、する」

「…………」

「びっくりするだろうけど、でも、ちゃんと信じてもらえるから」

その言葉には、用意していた台詞というニュアンスがあった。

「……どんな話？」

心臓がいやな感じで脈打っている。

愛美のカーディガンの肩に、しんとした音の粒が落ちてにじんでいく錯覚。

その粒を震わすように、口を開いた。

「高寿は、この世界の隣に別の世界がある……って言ったら、どう思う？」

「…………」

パラレルワールド的なことだろうか。ちょっとでも物理の話や、マンガをある程度読んでいる人なら馴染んだ説だ。ぼくは――

「あるかもしれないなって、思うよ？」

「わたしはそこから来たの」

「え？」

「わたしは、この世界の隣の世界の住人で、そこから来ているの」

ぼくの心の中が、静かに、嵐のように騒ぐ。

どう解釈すればいい。可能性は、そう、三つだ。

①愛美は電波だった

②妄想好きの中二病だった

③これは嘘で、何かのサプライズである

③が最も有力だった。今日までの日々がそう告げていた。だって、愛美といて違和

感を覚えたことが一度もない。彼女は頭がよくて、機転が利いて、彼氏としてたまにいやになるくらいのできる子だった。

「電波でも、中二病でも、サプライズでもないよ」

愛美の言葉に、心臓を突かれたような驚き。

「高寿くんは今、そう思ってるんだったよね？」

その穏やかな表情が、ふいに神秘性を帯びて見えた。まるで何もかも知っているような、ぼくの見ていないものが視《み》えているような。

「…………」

まさか本当……なんてことは。

いや、いくらなんでも別の世界なんて。

「——頃合いだね」

彼女が腕時計を確認する。

ぼくもケータイを見ると、23：58と表示されていた。

「〇時に……何かあるの？」

「うん。『調整』が起こるの」

「調整……？」

「わたしの世界と、この世界は時間の流れがぜんぜん違っていてね。向こうの流れに縛られたわたしがこっちに滞在してると、いろんな矛盾が起こり得るの。それを防ぐためにあるんだって、いわれてる」

「……？」

彼女の言っていることが、さっぱりわからない。脳が異物を受け容れることを拒否している。

「具体的に言うとね、〇時になった瞬間、わたしはここから消える」

「――」

「あ、大丈夫。わたしがこっちで滞在してる部屋に戻るだけだから。……それでわたしの日付は変わるの。あなたとは違う方向に」

混乱して、自分の思考や感情が麻痺しつつあるのを、もう一人の自分が冷静に分析していた。

そんな精彩を失った視界の中で、彼女が、

「そうかぁ」

と、軽い調子でため息をつく。

「この時点だと、ここまで伝わらないものなんだねぇ」

やれやれというふうに目を細める。そのおどけた表情や声が普段とまったく同じ愛美だったから、ぼくはほんとうにもう、どうしていいのかわからなかった。

「わたしの肩に手を置いて」

「……え？」

「消えるって言ったでしょ？　その証明」

「…………」

「早く。二十秒切った」

なお躊躇うと、彼女の笑みがかなしげに煙《けぶ》る。

「今のわたしには、ちょっとふれたくない、のかな」

ぼくは彼女の肩に手を置く。やわらかなカーディガンと、肌の弾力。

「……ありがとう」

囁くように。

「明日、二十九日朝六時に、あなたの大学の教室で待ってる」

ぼくが何か返すより先に――

「次に言うことすごく大事だから、よく聞いて」

彼女は早口に言い切ると、ひとつ息を置いて、低く、はっきりとした声で言った。

「あなたが十年前に預かったあの箱を持ってきて。マンガと同じ段ボールに入れていた、あの箱だよ」

驚いて聞き返そうとしたとき、掌がかくんと――落ちる。

消えた。

目の前の壁が、ぜんぶ見えている。

それを遮《さえぎ》っていたものが、なくなったからだ。

「…………」

宙で止めた手をみつめ、それをゆっくり横に払う。そこには何もなく、ただすかりすかりと往復する。

夢ではないかと、本気で疑った。こういうよくない夢は、覚めたいと思えば覚めるものだ。

……覚めない。

諦めて、途方に暮れて。やがて時刻をたしかめると、〇時を二分過ぎていた。

9

珍しく朝靄《もや》が出ていた。

ゴールデンウィーク初日の朝、誰もいない大学のキャンパスが白く霞《かす》んでいる。

ゲームみたいだな、と思いながら、ぼくはマンガ棟に続くアスファルトの坂道を上っていった。

眠れないまま、ここへ来た。

愛美が目の前から消えたことは認めながら、彼女の言葉をぜんぶ覚えていながら、ぼくは現実感を薄くして、それらの衝撃に直面した自分を他人事のように捉えていた。悩むという行為は現実に根づいた問題に対してできるもので、こういうかけ離れた出来事に対してだとうまくピントを合わせられず、悩むということ自体できないんだと、知った。

水蒸気を含んだ空気を肺に吸い込む。

肩から提げたカバンには、あの箱が入っている。

塔のガラス扉をくぐると照明の消えた中は暗く、打ち放しコンクリートのひんやり湿気った静けさがある。

正面の階段を上りすぐのところにある、教室の黒い金属ドア。

ノブを回し、ゆっくりと——内側へ押した。

仄明《ほのあか》るく、昏《くら》い。

奥一面の窓が朝靄を漉《こ》した光を取りこみ、教室に並ぶ机の表面を白く浮かび上がらせている。その光景はどこか、夜明けの海辺を思わせた。

愛美はぼくの席にいて、壁に張られたペンクロッキーをみつめている。

ゆっくりと……振り向いてきた。

微笑みを浮かべて、後ろ髪を軽く払う。その長さに違和感を覚えた。

ずいぶんと長い、ような。

戸惑いを隠しながら、愛美の元へ歩いていく。

見上げてくる彼女を前に、ぼくはネタばらしがはじまることを期待していた。「びっくりした?」と言って吹き出し、あれは手品だと、こういう仕掛けだったとネタばらしして、ぼくは「マジかよ」と脱力して、そして彼女がわざわざこんなことをした素敵な理由を語りはじめて……

「びっくりした?」

愛美が言った。その穏やかさは、昨夜会ったときと同じもので、あの続きなのだということをわかりやすく伝えてきた。

ぼくはなんと言っていいかわからない。とりあえず、

「……髪」

「うん。長いでしょ、だいぶ」

「……ウィッグ？」

「本物」

それはおかしい。

だって、今の髪は腰の下ぐらいまである。昨日よりも二十センチは長いだろう。一日でそんなに伸びるわけ……

「伸びたんじゃないよ。まだ切ってないの」

「――え？」

「わたしがこれからする話を信じてもらうために、考えたんだよ」

そう言って愛美が、

「まずは、あれ」

壁に張られている作品を指さす。

キリンのペンクロッキー。

「高寿は気にしてたんだよね？　わたしが張られることをあらかじめ知ってたふうに言うこと。そしてわたしは誤魔化すんだよね。そんなこと言ったかな、みたいに」

ぼくは愛美から目を逸らすように、自分のクロッキーをみつめている。

「ごめんね、本当は知ってた。最初からあのタイミングで言うことになってるの」

彼女の言い方がおかしい。

「……なっていた、じゃなくて？」

「じゃなくて」

彼女の、わからせようとする響き。

あのメモ帳の、おかしな書き方が浮かぶ。

五月二十三日が最初の一行目で、二行目三行目と日付が遡《さかのぼ》っていき、初めて会った四月十三日で終わっていた。

そこには『最後の日』と書かれてあった。

「わたしには予知能力なんてない。ただ……あなたとは時間の流れる方向が違うだけ」

クロッキーの紙がぼんやりと陰影に分かれる。朝陽が高くなり、窓から差し込む光の量が増えてきた。

「だからわたしは知ってるの。こうして張られたクロッキーも、わたしはついさっき初めて見たんだけど、あなたが過ぎてきた四月十四日は、あなたにとっては過去でも、わたしにとっては未来だから。今から十五日後の未来だからさ。——この髪もね」

愛美が立ち上がり、ぼくの方を向いて髪の束を持ち上げる。

「明日切るの。明日、美容室へ行く。そして三条駅のいつものクネクネした三本柱であなたと待ち合わせする。……でもそれは、あなたにとっては昨日の出来事——だよね」

持ち上げた愛美の髪が、丸い頬が、満ちかける月のようにぼんやりと光の領域に照らされている。

同じく照らされているだろうぼくの脳裏に、じわじわと浮かびあがっていくものがある。

なぜクロッキーが張られることを知っていたのか。日付が遡っていくメモ帳。昨日よりもずっと長い髪。隣にある世界の人。時間の流れる方向が違う。

「……いやいや」

ぼくは抗った。

深く考えることは拒否したけど、それはとてもいやなことだと感じた。

「……箱は持ってきてくれたよね？」

愛美が粛々《しゅくしゅく》と事を運ぶ。

そう、それがあった。

「なんで箱のこと知ってるの？　話したことないのに」

「もう、わかりかけてるよね」

何もかもを承知しているような、凪《なぎ》のまなざし。

「高寿に十年前、箱を預けた人は、何歳ぐらいに見えた？」

「……。……わからないよ。ガキだったし、よく覚えてない」

「サングラスもかけてるはずだもんね。顔を覚えられないように」

「………」

「その人は、ちょうど三十歳」

愛美が、微かに笑む。

「十年後の、わたしだよ」

「…………」

「この高寿のいる世界と、わたしのいる世界は、時間の進む方向が逆なの。わたしの明日は、あなたにとっての昨日。わたしにとっての十年後は、あなたにとっての十年前」

だからね。

「十歳のあなたが会ったのは、未来のわたし、なんだよ」

山鳥のさえずりが響く。

ぼくは立ちつくしながら、そう言った愛美の顔をじっとみつめる。そうしながら、一緒にたこ焼きを食べたおばさんの、ほんのわずかサングラス越しに見えた顔を記憶の底からたぐり寄せる。

……そんな気が、した。

まだ断定できずにいるぼくの目の前で、愛美が机に置いたバッグを引き寄せる。中から——小さな鍵を取り出した。

「さあ。未来のわたしと約束した通り、その箱を開けよう」

「…………」

彼女がぼくの手元を見て、困ったふうな笑みを浮かべる。

つられて見ると……ぼくの手が、カバンを固く摑《つか》んで背中に回していた。ガードしてるみたいに。

ふいに左から眩しさを感じる。

裏山の高さを完全に越えた朝陽が、薄い光の束をおびただしく投げかけた。教室にくすぶっていた暗さが隅々まできれいに払われた。

「高寿」

「…………」

ぼくはべつに、何も思ってはいなかった。驚きのあまりそんな余裕なんてないというのが正直なところだ。

なのに手が、動こうとしない。

「なんで……だろうな」

ぼくが浮かべた笑みは、たぶん引きつっている。

「わたしたちの歴史のために、必要なことなの」

光の中で彼女が言った。

その言葉に完全に不意を突かれ、ぼくの手のこわばりがするりと解けた。

「……歴史？」

「開けてから話すよ」

…………。

ぼくはカバンを開け、箱を取り出した。

つや消しの銅色をした箱が、光に晒され明るくなる。ざらついた樹脂のような表面は、もらったときからたいして変わってないんじゃないかと思う。

「じゃあ、開けるね」

愛美が隣に並んでくる。ぼくが箱の鍵穴を向けると、彼女は鍵を差し込み、ひねる。

カシャン、と乾いた音が微かに。

愛美とまなざしが合う。ぼくは箱をみつめ、息苦しさを覚える。

蓋に指の腹を当てたとき、耳の奥まで響く心臓の鼓動を感じた。

軽い蓋を斜めに持ち上げていくと、十年閉じ込められていた空気が溜息のように洩れた錯覚がした。そのまま上げきった。

中に入っていたのは。

「…………」

ぼくの写真だった。

いや、現在のぼくだ。

十年前《あのとき》ではない、二十歳《いま》のぼく。

隣には愛美が——現在の愛美がいて。

二人とも、冬の陽のような笑顔を浮かべている。

場所は宝ヶ池の、あの東屋で、プリントされた日付は……『2010 05 23』とある。

今から、一ヶ月近く先だ。

「念には念を入れてるでしょ」

写真のぼくは、ぼくがいま使っているケータイをわかりやすく見せていた。十年前にこの機種がなかったことを証明するのは簡単に違いない。

「ほんとはｉＰｈｏｎｅとかの方がわかりやすいって言ってたけど」

それを言ったのは、つまり……。

「その写真は、わたしにとっては二十四日前。あなたにとっては、二十四日後に撮るものだよ」

……もう眩しさも感じていないのに、ぼくは目をすがめている。

たしかに写っているのはぼくと愛美なのに、ぼくはこれを撮った記憶がない。

こんな日常からかけ離れた現実を…………

ぼくはもう、信じるしかなかった。

10

「そう」

愛美は言う。

「震災の時あなたを助けたのは、わたしだよ」

「十五年前に」

「十五年後に」

ぼくたちは、棟にほど近い裏山の道を歩いていた。建物に人が入ってきたざわめきがして、なんとなく出たのだ。

木の枝に学生が作ったカラフルな鳥小屋が彫刻的にやたらたくさん付けられていたり、無人島生活みたいな寝床が雑に組まれたりしている。この奥には貯水槽があって、林たちと一緒にてっぺんに登ったことがあった。

「じゃあ、愛美にとっては未来だから……」

「うん。するっていうことしか知らない」

ぼくにとっては、遙か昔の出来事なのに。

「わたしはそれを、三十歳の高寿に聞かせてもらったの」

「三十歳……」

「そう、三十歳のあなた。わたしが十歳の時に」

……とほうもなくて、頭がこんがらがりそうだ。

鳥小屋を興味深そうに見ながら、愛美が話す。

「五歳の時。……わたしは、あなたに命を救われた」

ぼくが目を瞠ると、愛美はそうだよ、と応えるふうに微笑んだ。

前に言っていた。「わたしも五歳の時に死にそうになったことがある」と。

「じゃあ……」

「そう。わたしを助けてくれた命の恩人は、高寿だよ」

何か言おうとする前に、貯水槽の前に着いた。錆びた缶詰を大きくしたような外観で、金属のはしごがくっついている。

「登ってみる?」

「上はどうなってるの?」

「眺めがちょっとだけいい」

「じゃあ、登る」

登った。

一面が見渡せる。

小さな山々が波打つように連なっていて、まるで緑の海といったふうだった。山の隙間に田んぼがあり、家があり、網の張られたグラウンドがある。二週間前なら桜をみつけることができただろうけど、もうすっかり新緑に埋もれてしまっていた。

「ちょっとだけいいだろ」

「けっこういいよ」

「なら、よかった」

愛美は広がる小山を見下ろしながら、

「……五歳の時、初めてこっちに来たの」

さっきの続きを語りはじめる。

「親に連れられて。わたしたちにとっては、そうだな、遠めの海外旅行みたいな感じでね。たまたま三人とも周期が同じだったから行く気になったんだって。何もなかったら、その一回きりになってたと思う。同じ国に何回も行くって、そんなにないでしょ」

たしかに。

「帰る日にね、大きなお祭に行ったの。そこで、屋台の一つが爆発したの。ものすごい爆発だった。わたしはちょうどそこにいて、ほんとは危なかったんだけど、誰かが直前に手を引いてくれて、助かった。その手を引いてくれたのが……あなた」

　ぼくが振り向くと、彼女は変わらず景色を眺めている。

「あなたはわたしに向かって何か一生懸命に言っていたけど、ほとんど覚えてない。ぼんやりしてたから」

「……そりゃ、そんなことがあったらショックで」

「ううん、そうじゃない」

　愛美がゆっくりと振り向いて、みつめてくる。

「あなたに一目惚れしていたの」

　眼下の線路から、叡山電鉄の走る音がぼやけながら届いてくる。

「……ぼくに？」

「そうだよ」

　口許ではにかむ。

「五歳のわたしは、あなたを見ながら『この人だ』って感じたの。理由はわからないけど、はっとなって、全身で感じたんだよ」

　それは、どこかで聞いたことのあるような言葉だった。

「あなたと同じだね」

　みつめてくる瞳が、黒く潤んだ。

　そのときぼくは、体の奥が澄み渡るような衝撃を覚えた。

芯が透明になって、すとん、と何かが収まった。

どうして彼女を見たとき全身が訴える直感があったのか。気づくより先に惹かれていたのか。今ぼくたちがこうしているのか——。

言葉では語れない、大きなくくりとして納得したのだ。

「ぼくはきみに命を救われて」

「わたしはあなたに命を救われて」

彼女が継ぐ。

「それがあって、わたしたちは今、こうして会えてるの。逆向きに進んだ時間の端と端で命を救い合って、どっちが先とも後ともわからない因果があって……そういう特別な縁で、お互いが二十歳になった今、こうして向き合っているんだよ」

…………。

お互いの過去と、現在と、未来で深く結びついている。それは。そういうぼくたちというのは——

「運命」

「だね」

彼女がほころぶ。ぼくの口から出たその言葉が嬉しかったというふうに。

ぼくは座る姿勢を崩した。話が大きすぎで、なんだかふわふわしている。

目の前にいる愛美が、これまで以上にかけがえのない特別な存在に映った。

恋人っていうのは特別で、でもそれは本人たち以外にはぜんぜんそうじゃないもので。

だけどぼくたちは本当に、特別って言っていいんじゃないだろうか。

下の森から風が吹き上げてくる。朝とはいえ、春らしくない冷たさだった。

「寒くない？」

ぼくは聞く。

「ちょっと」

「……こっち来る？」

「……うん」

寄り添う。愛美がぼくの肩に頭を乗せ、すべてを委ねるように体をもたれさせてきた。ぼくは彼女の腰に手を添え、もたれてくるやわらかさと、委ねられていることの嬉しさを感じる。

いろんな信じられないようなことはあるけれど、こんなにも特別な人がいて、特別な運命で結ばれていることは――とても幸せなんじゃないかって思った。

「……だからね、今だけなの」

愛美が躊躇《ためら》いがちに切り出す。

「なにが?」

「わたしたちが同じ年齢でいられるのは」

冷たい風が、耳を裂くように過ぎていく。

「……どういうこと?」

「わたしは……わたしたちの世界の人間は、五年に一度しかこちらの世界に来れないの。五年に一度、四十日間までしか留まっていられない」

湿度のせいだろう。彼女の息が一瞬、白く霞む。

「次に会えるのは五年後で、わたしたちは十五歳と二十五歳になっている。十歳違い。その次に会うときは、十歳と三十歳……。あなたはもう、過去に見てきたよね?」

体が石灰のように白く固まった感覚がする。

愛美の瞳をみつめることしかできなかった。その濡れた奥にあるせつない色と揺らめきから、真実を掬《すく》い取ることしかできなかった。

だからね。と愛美が言う。彼女の美しい声がいちばん魅力的に響く、呼吸のような囁き声で。

「今こうしている時間はとても大切なの。わたしたちが同じ二十歳の恋人でいられるこの五月二十三日から四月の十三日までの期間は……とてもかけがえがないんだよ」

ぼくは愛美を抱き寄せた。

そうしないと凍えてしまいそうだった。

「大丈夫」

愛美が囁く。

「大丈夫だよ」

やわらかな温もりそのものの声で。

「ごめんね」

「……謝ることじゃないよ」

平気なふりをして言った。そんなに慰められてしまうと、ぼくにだって意地がある。

「そうなのかあ」

薄い空を見る。

彼女の動く気配がして、ぼくの髪に掌をあててきた。

「これ、わたしが切ったんだよね」

毛先が小気味よく揃った横側をさりさりと撫でる。

「我ながら、よく切れてるね」

「……愛美にとっては明日、なんだよな」

「そう。明日、切りに行くの」

穏やかな目をした愛美に、ぼくはそっと顔を近づけていく。彼女もすぐに応えて、そういう間合いになって——キスをした。

それは何かを埋めるようなもので、ぼくはこういうキスもあるのだと思った。

第三章

ぼくは明日、昨日のきみとデートする

1

クロッキーをしていると、雨が降りだした。

大降りで、ぼくを含め、来ていたクラスメイトはゲート近くの図書室に避難した。

園内だけあって動物の本が大半だ。クラスメイトの中には、図鑑を引っぱり出して
その写真でクロッキーをはじめる猛者もいる。

意味ないじゃん、と言いたくなるけど、気持ちもわかる。動物はやっぱり動くので、
クロッキーは困難を極める。教授は「瞬間の映像を頭に焼き付けろ」と言って画家の
例も出すけど、そういう映像記憶は特殊能力の部類なので、指導としては考えものだ。

「南ちゃん」

京阪組の島袋が話しかけてくる。

「福寿さんとはどうよ？」

「まあ……ぼちぼち」

色々こんがらがっている気分を正直に出してしまった。

「うまくいってないのか？」

「いや、そんなことないけど」

「相談していいんだぞ？」

僕の肩に手を置き、うんうんとうなずく。島袋、ひげ濃いけど、いい奴だな。

「ほんとなんでもないって。……今日もこのあと会う約束してるし」

「なんだ」

「南山、カノジョできたの？」

近くのクラスメイトが食いついてきた。

「前一緒に歩いてた子？」

「……そう」

「えー、めっちゃかわいい子じゃん！」

それをきっかけに、退屈していたクラスメイトたちが一気に集まる。

「そんなかわいいの？」

「写メ見せて」

囲まれながら、ぼくはデートのときに撮った一枚を見せる。

「うわ、マジかわいいんだけど」

「ほんとだ」

ケータイが次々と回されていき、みんなガチでちょっと驚いた顔をする。

「どこで知り合ったの？」

「こいつナンパしたんだぜ」

林が言った。

「「えーっ！」」

そこから、カノジョとの馴れ初めについて話をさせられることになった。

本当なら照れくさいながらも悪い気分じゃないところだったろう。けど、今はとても複雑な心境だった。

みんな思わないだろう。写真にうつる彼女が、別の世界の人間だなんてことは。

ぼくが今日デートするのが、昨日の彼女だなんてことは。


傘をたたんで、三条駅へのエスカレーターを下りていく。

これから会うのは、昨日貯水槽で話したあの愛美ではないんだと。それより過去の彼女なんだと……今日はずっとそれを考えて、予想のつかない不安にとらわれている。

宝ヶ池に、隣り合う世界同士をつなぐ境界線があるのだという。

それは向こう側からの一方通行のもので、周辺には（どこかは教えられないらしい）旅行に来た人たちの案内や管理をする施設があり、愛美はそこが手配した部屋に住んでいるらしい。そして、世界の矛盾を防ぐ目的で、携帯電話やメールが厳しく禁じられているのだった。

待ち合わせ場所に着く。

クネクネした三本柱で——愛美はいつもと何も変わらないふうに立っていた。

気づいた彼女に、ぼくはちょっとぎこちなく手を挙げる。

「おう」

「おう」

おどけたふうに、そのまま返してきた。

思わず頬が緩んでしまう。

「どこ行こうか？」

「高寿は行きたいとこある？」

「ちょっと本、見たいかも」

「うん」

あそこだね、と阿吽《あうん》の呼吸が成立してる感じがした。昨日までと何も変わらない感触だった。

本を見たあと、三条大橋前のスタバ。いつものコースの一つだった。

ぼくたちはおきまりのカウンター席に並んで掛けている。下の階のソファ席に座ってみたこともあったけど、なんとなくこっちの方がなじむのだった。

ぼくは買ったムック本のカバーを眺めている。脳科学の理論をまとめたもので、聞いたことのない、好奇心をそそられる理論の名前が並んでいる。高かったけど、読むのが楽しみだ。

「面白そうだね」

愛美が言う。

「だろ」

「でも難しそう」

「うん。なんか面白い内容あったら話すよ」

「うん」

そんなやりとりをして、コーヒーをする。

愛美も窓の外の鴨川を見ながら、両手でマグカップを支えてコーヒーを飲んでいる。細くてきれいな指。

……ここまで、本当に違和感なかった。

だからこのまま踏み込まない選択肢もあったんだけど、でもやっぱり、聞かずにはいられなかった。

「愛美はさ」

「ん？」

「ぼくにとっての未来から、今日に遡って来てるんだよな」

愛美はさりげなくも、ちょっとあらたまった声で。

「そうだよ」

「ということはさ……最後の、別れるときのぼくと会って、今こうして、今のぼくと会ってるってことなんだよな」

「まあね」

「それって……どんな気持ちなんだ？」

「不思議な気持ち、だよ」

さらりとした質感で口にする。

「他に言いようない」

「まあ……そうか」

「うん」

愛美が静かにマグカップを置く。

「あのメモ帳は、ぼくが話したことなんだっけ」

「そう。五年前……高寿にとっては五年後だよね。二十五歳のあなたに話してもらったことだよ」

二十五歳の自分がどうしているのかものすごく聞きたい衝動に駆られたけど、我慢した。聞いてしまうと未来が変わってしまうかもしれない。叶う夢も叶わなくなってしまいそうで怖いから。

すでに返したあのメモ帳には、日付と、その日に何があるかが数行で書き留めてあった。何も書いておらず、飛ばされている日もある。文末に★などの記号がついていることもあったけど、それについては「忘れた」と言われた。

「あそこに書いてることをなぞってるんだよね」

「うん」

「どうして？　べつにまったく同じじゃなくても困らない気がするんだけど」

「そんなことないよ」

愛美には珍しく、はっきりと否定した。

「だってそうしないとさ、高寿に信じてもらうことは難しかったと思うの。そのために色々あったでしょ、段取り」

「……そうか」

「わたしたちの辿ってきた、辿っていく、大切な歴史を守らなきゃだから」

「そうか……そうだな」

ぼくは噛みしめるようにうつむいた。

「……すごく不思議だ」

「うん」

「五年後のぼくが教えた流れを、愛美は今のぼくに体験させてる。それって、どっちが先でどっちが後なのか、もうわかんなくないか」

「たしかに」

「不思議だな」

「不思議だね」

ぼくたちは言い合って、ふたりで窓の外を見た。

夕方の鴨川沿いには今日もカップルが等間隔で座っていて、その外側の河川敷をのどかに散歩する人たちがいる。

ぼくたちの間に漂う空気も自然なものだった。

会うまでは不安だったけど、やっていけそうな気がした。

「あ」

すごく小さいポメラニアンが、おじいさんの後ろをトコトコトコッとついていっている。開けた口から「へっへっ」という音が聞こえてきそうなのが、とてもいい。

「ほら、この前のポメ――」

「わあ、かわいいっ！」

――――。

違和感に固まる。

愛美の反応は明らかに、初めて見るものに対するそれだった。

ぼくの空気に、彼女も自分のした過ちに気づく。

表情をこわばらせたまま何もできず、焦りと動揺だけを伝えてくる。こんな彼女を見たのは初めてだった。

「き――記憶、記憶が人に意識があるって錯覚させてるんだっけ！」

「え？」

「ほら、高寿教えてくれたじゃない。魂みたいな固定の意識っていうのはそもそもなくて、それは脳のいろんな部分が主導権争いしてる中で浮かんでる影みたいなものだって、そんな説が――…」

「………」

ぼくはそんな説、知らない。

はっとなって、足元に置いたカバンを見る。――今日買った、脳科学のムック本。

ふと視線を上げると、彼女もカバンを見ていた。

さっきよりもさらに深刻な表情をしていた。

2

山の天気は本当に変わりやすい。

駅に降りたときにぱらついていた雨が止んだり、霧雨になったり、短い時間で揺らいでいる。

ロープウェイで登り、さらになだらかな山道と石段を上って、山中の神社に着いた。

ぼくたちは鞍馬《くらま》に来ていた。

ただ、メモ帳の内容に従って。

「ねえ、ここに座ったら絶景じゃない？」

愛美が、敷地の隅に置かれたベンチを指す。

その向こうには、山脈の広々とした連なりが見えた。それを眺めるためのベンチだと思う。

「よいしょ」

愛美が声を出して座った。

ぼくは何も応えず、立ったままそれを見ている。

愛美はそんなぼくに気づいていながら気にするふうでなく、「むぅー」とつぶやいて景観を確かめる。

「いまいちだねっ」

ぱっと立ち上がった。

「高さがよくないね。このベンチの高さ、よくないよ」

指さしながら「だめだよ君ぃ」と言う。

「高寿も座ってみる？」

「……いや、いいよ」

「そっか」

愛美は気にするふうでなく言った。

「ね、お参り行こ？」

「ああ」

ゴールデンウィークの後半で、それなりに人がいる。ぼくたちは参拝の列に並んで、あまり待たされることなくお参りをすませた。

「何、お願いしたの？」

「まあ……いいじゃん」

「わたしはねぇ……なんだと思う？」

「さあ。……そろそろ行かないか」

愛美はほんの一瞬言葉を止めたけど、

「そうだね」

なんでもないふうに言った。


神社から出て、曲がりくねった山道を下りていく。

その下る先に、黒くてにょきにょき伸びた感じの彫刻《オブジェ》が見えてきた。

「何あれ！　すごいタケノコみたい！」

今日の愛美は、やけにテンションが高い。ぼくの空気を感じてだろう。わかっているけど、ぼくにはどうにもできないし、そうする気力もなかった。

「『いのち　愛と光と力』」

愛美がオブジェのプレートを読み、振り向いてくる。

「すごいタケノコでいいよね？」

ぼくはもう——限界だった。

「……愛美」

「なに？」

普通に返したけど、ほんのささいなタイムラグがあった。

「どうしても、メモ帳どおりに行動しなきゃいけないのかな」

霧雨が膜のように顔に覆い被さってくる。濡れた緑と腐葉土のにおい。

どうしてだろうか。あの大学での朝のように靄が漂っている。

「しなくていいんじゃないか？　最低限必要なことをやればさ。十五年後にお互いを助け合う、とか……そのへんのことだけを」

愛美は燻《くゆ》る雨粒に目をすがめながら——

「どうしてそんなこと言うの」

取り残される子供のように聞いてきた。

ぼくは奥歯を噛みしめ、吐き出す。

「だって……つらい」

溢れてくる。

「ぼくが昨日一緒に過ごした愛美を、今のきみは知らない。昨日だけじゃなく、今まで一緒に過ごしてきた思い出全部を、きみは知らない。一度そのことがわかってしまうと、どんどんそれが見えてきて……きみが気づかせまいと努力してる瞬間もわかってしまって……きみの言ってること、やってることぜんぶ……。……きついんだよ。きみと会ってるのにきみじゃないような、すごくきつい感じになるんだよ」

ぼくは息切れして、溺れるように息継ぎして、言った。

「一緒にいると、つらいんだ」

レインコートを着た家族の観光客が、ぼくたちをちらりと見ながら通り過ぎていく。

その間、愛美は何も言わず立ちつくしていた。

「……ごめん」

ぼくは言って、逃げるように背を向ける。

手を摑まれた。

振り向くと——愛美の懸命な表情があった。

「待って」

いつもどおりにしっかり上げた睫《まつげ》が、重く湿っている。

ぼくは辛くなりすぎて、我慢していた最後の一線を越えてしまった。

「これも予定されてる出来事なのか」

愛美がこわばる。

核心を突いた感触。

ぼくは手をふりほどく。

「……あのメモ帳にあった記号の意味がわかったんだ」

愛美の表情が痛そうにしかめられ、目を伏せる。

「もう……やってられないんだよ！」

ぼくは山道を下りていく。

愛美はもう、追ってこなかった。

3

あのメモ帳には、文末に星印★がついている箇所が二つあった。

それは「5月21日」と「4月28日」で、特に四月の方は最初にメモ帳を見てしまった当日だったから、強く印象に残っていた。

ぼくはその意味に気づいてしまったのだ。

四月二十八日に何があったか。それ以前になかったものは何か。プライベートのメモで記号を使うのはどういうときか？　はっきりと書きたくない、万が一見られてもわかられたくない意識が働くときだったりしないだろうか。

そこまで考えたとき——わかってしまった。

あの日は、愛美との初めての日だった。

でも、未来からきた愛美にとってはそうじゃない。

つまり愛美はあの日、はじめから全部わかっていたのに何も知らないふりをしてたってことだ。

べつに悪いなんて思わない。

けど……たしかメモ帳には初めてのキスを表す記号や、初めて手をつなぐことの記述もあって、そういうことの全部、そうだったと思うと……たまらなくなった。

顔を合わせて一緒にいることが耐えられなくなってしまった。

全部演技で――ほんとはぼくのことなんかなんとも思ってなくて、ただ過去と未来の辻褄を合わせるために行動してるんじゃ……そういういやな考えに嵌《はま》りそうになる。

「………」

午前を回った深夜、ぼくはアパートの階段を下る。スニーカーが段を踏むにじむような音が蛍光灯に溶ける。

一階のコインランドリーの蓋を開けると、洗濯が終わっていた。

ねじれたドーナツみたいになった衣類を、上の乾燥機に放り込んでいく。こんな時間にしているのは溜まっているのもあったけど、何かを整頓したいという衝動が大きかった。

一〇〇円玉を入れると、乾燥機が回りだす。

ぼくは擦り切れた円い蓋をぼんやり見ている。

このままいくと、未来は変わってしまうだろう。

ぼくが愛美と会わなくなることで、愛美の辿ってきた過去、ぼくと過ごしてきた時間は変わってしまうのだろう。

――はたして、そうだろうか？

これも含めて、ぜんぶ予定どおりなのだとしたら?

いやそんな。

でも。

「………」

もしそうなのだとしたら、愛美はこのつらさを乗り越えたぼくと会ってきたということなのか。

その可能性を考える。………あり得ないことじゃない。

だってぼくは、大事なことを途中で投げ出したりなんかしない。最後までやり遂げるのが、らしいと思う。

……でも、どうすれば?

今のこの気持ちから、どうやったらそうなれるのだろう。愛美と日々を過ごしていこうって思えるのだろう。

だって、こんなの辛すぎる。

昨日のことを話し合えない。

二人の時間がどんどんすれ違っていく。

それは愛美だって同じ——そう、愛美だって同じはずなのに。

ぼくはケータイを開き、愛美の写真を見る。

付き合いはじめた最初の待ち合わせで撮った写真。

ぼくが課題で描いた風景の石橋で、愛美が明るく微笑んでいる。

愛美はいつも笑っていた。こんなにつらいことを抱えながら、ぼくにそういうことを気づかせずに、ずっと笑顔でいた。


――いや。


いや。

いや――。

重いものが音もなく落ちたように、ぼくは自分の間違いに気づいた。


『わたし、だいぶ涙もろい』


そうだ。

愛美はいつも泣いていたじゃないか。

とても些細だったり、不思議なタイミングで泣いてたじゃないか。
ああそうだ……それはどういうときだった。
初めて手をつないだとき。
初めて料理を作ってくれたとき。
初めてお互いの呼び方を変えたとき。
でも、ぼくにとっての初めては――愛美にとっての「最後」で。
二度と戻れない、過ぎ去っていくもので――。

『わかってる。嬉し泣き、だろ』
『そう』

――ぼくはぜんぜんわかってなかった。

『また作ってね。ぼくも何か作るからさ』
『うん』
『……どうしたの？』
『花粉だよ』

『どこに泣く要素があったんだよ』

――最後だったからなんだな。

「……。――愛美ちゃん」

「はい」

「……高寿くん」

「はい。うわやばいな」

「だね」

「だな。……えっ？」

「ああごめんごめん。なんかじんときちゃって……」

――どれだけせつなくさせたんだろう。

「………」

視界に映る愛美の写真が、にじんでぼやける。鼻の奥がひりひりしている。

また会える？

また会えるよ。


ぼくは――――答えをみつけた。

ぼくだけじゃない。ぼくたち二人にとっての答えを。

いてもたってもいられなくなって、階段を駆け上がる。

なんでこんな簡単なことがわからなかったんだろう。

別の世界とか、過去とか未来とか、そんなのに惑わされて、いちばん大切なものを見失っていた。

ドアを開けて、部屋に駆け込む。

この答えを今すぐ伝えたかった。

ケータイを開くと、午前一時十八分。『調整』が起こって、鞍馬で別れた前の日の愛美になっている。

でも――だからこそ。

ダイヤルを押す。コール音。二度……三度…………

なんとなく向けた視界の先に、枕がある。

そこに顔を伏せて泣いていたあの日の彼女を思い出す。

出た。

『……もしもし』

愛美の声が、そっとした。眠っていたふうじゃない。

「愛美」

『……ん？』

「かかってくるの、知ってた？」

『…………』

「ごめん、いいんだ」

それでもいい。

「ぼくは明日……きみにとっての明日、きみにひどい態度をとってしまう」

『…………』

「それはぼくたちのこの状況に我慢できなくなったせいだ。でも――乗り越えたから。今のぼくは、ちゃんと乗り越えたから」

『……うん』

その響きの深さを、うまく説明できない。嬉しさと、ほっとした感じと、寂しさと。そういうものが混じり合っている。

「つらいな」

『そうだね』

二人の置かれた場所を、軽く肩をすくめるように話す。

「でもさ、それでもぼくは………きみのことが好きだから」

単純なことだった。

こんなに苦しくなったのも。それを受け容れて乗り越えていこうって覚悟できたのも。

きみのことが、こんなにも、好きだからだ。

『高寿』

「ん？」

『わたしもだよ』

愛美の声はさっきよりも近くて、熱い。

『わたしも、あなたのことが好き』

4

「ほんとに来てよかったの？」

始発でやってきた愛美が、部屋に入るなり遠慮がちに聞いてくる。

「寝てないんだよね？　ごめんね、すぐに帰るから」

愛美はいつもどおりの完璧さ。「朝方来るならこれくらいの軽めの格好」というバランス感。

対してぼくは、室内着のままだ。

窓の外は、青い闇が払われて白々としてきた頃合。

ぼくは向かいに座る愛美にただひと言、こう言った。

「会いたかったんだ」

愛美のまなざしが、ちょっと蕩《とろ》ける。

「……わたしも」

ぼくをまっすぐみつめながら、ぽそりと、

「あんなの言われたら、会わずにいられないよ」

甘えるふうにつぶやいた。

「愛美」

呼びかけ、ぼくは穏やかに距離を詰めていく。これから抱きしめられることがわかった愛美は、ふわりと受け容れる空気を出してまぶたを閉じる。

抱きしめた。

掌に、薄くてやわらかな背中の感触。うなじに掛かる髪のいいにおい。

ぼくはその髪を梳くように頭を撫でる。

しばらくそうした。雀のさえずりを聞きながら、甘くしとやかな時間が流れた。

「いいね、頭撫でられるの」

そのつぶやきを合図にして、ぼくは身体を離す。

それから今度は手を伸ばして、横側を撫でた。

彼女は少し上向きの形をした耳にふれられながら、照れたような、戸惑ったふうな笑みを向けてくる。

「どうしたの？」

「愛美はずっと、がんばってくれてるんだな」

彼女のまなざしがじわりと張って、一度瞬きする。

「ぼくの会ってきたきみは……これから先のきみは、ときどきちょっと泣いてしまうんだ」

頭を撫でながら、ぼくは続ける。

「初めて手をつないだときに泣いた。きみにとっては最後だったからだ。その日を境にして、つなげない関係になっていくからだ。……ぼくが付き合ってくださいって言ったときに目が潤んだのもそうだね。付き合う前に戻っていくからだ。……呼び方も、高寿、高寿くん、南山くんになっていって……ぼくもきみを愛美じゃなく、福寿さんって他人行儀になっていって……どんどん巻き戻しになっていって……最後には知らない人みたいに振る舞わなきゃいけなくなって………」

愛美の頬を掌で包む。涙を含むように熱くて、これ以上押したら彼女の瞳から溢れてしまいそうだった。

「それって……すごく辛いよな」

ぼくをみつめるまなざしが黒く濡れて、ゆらゆらと海のように揺れながら、そこに映る月のような光があって。

「がんばってるんだな」

ぼろぼろと透明な粒が頬を滑り落ち、鼻を鳴らして、しゃくり上げる。

零《こぼ》れた。

「ごめんな」

涙で指を濡らしながら、ぼくは謝る。

「愛美が明日から会うぼくは、きみにひどいことを言ってしまう。ごめんな、わからなくて。辛くさせて、ごめんな」

愛美が小さく首を振る。

まぶたを閉じて、すんすんと肩を揺らす。指で涙をぬぐいながら、

「……聞いてないよ」

不器用に笑う。

それはきっと、ぼくがこんなことを言うって事前に教えてなかったんだろう。

外の道路から、近所のおばさんが挨拶し合う声が聞こえる。

部屋も明るくて、すっかり朝になった。

「高寿」

「ん？」

「ありがとう」

朝陽に透きとおるまなざしに、ぼくが映っている。

「忘れないよ」

なにげない、けれど神聖な誓いに響いた。

ぼくたちはキスをして、抱擁し合った。

「これからどんどん辛くなっていくんだろうなぁ」

愛美がぼくの胸の内で、おどけた苦笑いをする。

……きみのこれからを、ぼくは知っている。

「でもがんばらなきゃ」

……がんばるきみに会ってきた。

いま思い出すと——あまりにもいとおしかった。

「……わたしはね」

きみが囁く。

「あなたのことが好きで。あなたと過ごしてきた時間が……子供の頃からの日々がとても素敵で大切だから……だから、がんばれるんだよ」

頭を撫でるぼくに、今朝見た夢のように話す。

「未来のあなたはすごくかっこよくて、初めてお茶した十歳のわたしはずっとときめいてた。だから、つまりね、わたしがこれからそうしていくのは。辛くてもそうしようって思えるのは……」

愛美はそっと体を離し、ぼくの顔をみつめる。そこに何かみつけたように、目許を緩めた。

「今のあなたに会いたいからなんだよ」

ぼくは愛美の両手をそっと包んで、握る。

伝えたかった。

――きみはちゃんとやり遂げたよ。

過ぎていった日々のきみが浮かぶ。三条で初めてデートした日のきみ。電車で一目惚れして、宝ケ池で呼び止めた日のきみ。

もう一度会いたかった。あの日のきみに今、会いたくなって……目の奥が熱くなった。

包んでいる、きみの手の甲の感触。

つながってる感じがした。ふたつがひとつに、輪のように連なってる感じがした。すれ違っていく時を繋ぎ留めようとしてるみたいに。

ぼくたちはみつめあう。

泣いたあとの目をした美しい人がそこにいる。

「愛美」

ぼくはきみのことを尊敬する。

心から愛している。

終章

1

上山がアパートに遊びに来た。

「お前がでかいんだよ」

身長一九〇以上ある上山が、身を屈めながら居室に入る。

「低っ」

「どうも、初めまして」

座っている愛美がにこやかに挨拶する。

「福寿愛美です」

「上山正一《しょういち》です」

「幼なじみなんですよね？」

「ええ、幼稚園入る前から」

「すごい」

それから、愛美の用意してくれたお茶を囲む。

「上山さんが、彼にいろいろアドバイスしてくれたんですよね？」

「そう。いやもうなんていうか、こいつヘタレでしょ？」

上山がいつものノリでいじってくる。

「『どうしたらいい？　どうしたらいい？』ってチワワみたいに震えてて」

「そうだったんですか」

愛美は興味津々だ。ぼくは非常にばつが悪い。

「最初デート誘うときも、ケータイ持つ手がぶっるぶる震えてて」

「えっ！　上山さんいたんですか!?」

「俺の部屋だよ。俺が電話しろって。で、傑作なのが、こいつ話すこととかメモしだして……」

「い、いいだろ！　その話は！」

「えー聞きたいなぁ」

愛美は上山を見ていたけど、気配は完全にこっちで、ぼくは額に汗を滲ませた。

そして、そのときのぼくのテンパりようやOKをもらったときのはしゃぎっぷりが赤裸々に語られ、ぼくにとっては恥ずかしすぎる展開になる。

「こいつ『やった～！』って、涎《よだれ》ぶわーって出して」

「出してないし、そんなアホな顔してない」

「あはは」

愛美は大ウケだった。

話してるうち夕方になり、愛美が台所で夕食の用意をしてくれている。

「カノジョ、めっちゃかわいいな」

上山がこっそり囁いてきた。

「まあな」

「写真見たときは美人過ぎて、お前大丈夫かなって不安だったんだけど」

「そんなこと思ってたのか」

「でも、いい感じだな」

「…………」

「なんかしっくりきてるよ、お前ら」

「……だろ？」

こいつはなんでも感じたまま言う奴だから、素直に嬉しかった。

「お前のおかげだよ。ありがとう」

すると、上山がやや改まった間合いで見てきて、

「さっきから思ってたけど、お前ちょっと雰囲気変わったな」

そんなことを言った。

夕食のあと、また盛り上がっているとあっというまに遅くなって、上山を駅まで送った。

「じゃ、気をつけてな」

「おう」

応えた上山が愛美を見て、

「ごちそうさま。うまかったです」

「わたしもすごい楽しかったです」

愛美も盛り上がった部屋の雰囲気そのままに笑う。

「ぜひまた——、」

言いかけた愛美が、はっと言葉を止めて、曖昧《あいまい》にごまかす。

「また。メシ食わせてください」

上山は気にしたふうもなく言い、

「南山のこと、よろしく」

大きな手を愛美に差し出す。

愛美はその手から上山の顔に視線を移し、ほんの一瞬せつなげに揺らがせたけど、すぐまなざしを明るくさせて。

「はい」

彼の手を握り返した。

その握手の光景に、ぼくは胸を締めつけられた。

「いい奴だろ」

「うん」

アパートまでの夜道を並んで歩いている。まだ十時前だけど、界隈はすっかり静まりかえっていた。

「男の親友って感じで羨ましい」

「え?」

「熱い友情!っていうか」

「なんだよそれ」

「とにかく、なんか憧れる」

よくわからない。

「高寿」

「ん?」

愛美はなにげないような口調で――

「今の高寿とは、今日でお別れなのかな」

その言葉の意味を、ぼくは理解できた。

他でもない、昨日の彼女に言われたことだからだ。「今のあなた」と。

「……そうなる、と思う」

「そっか」

　上山にもそんなことを言われた。

「今のぼくとその前のぼくって、そんなに違うかな」

「わたしはまだ会ってないからわからないけど、きっとそうだと思うよ。なんていうか、落ち着いた大人な感じだもん」

「……覚悟は、したかなぁ」

「覚悟？」

「いろいろあったけど、ぜんぶ受けとめられたっていうか、腹くくってさ。これからは——きみと別れるまでの一日一日を大事に過ごそうって」

「なるほど」

　愛美が上を向く。

「私も覚悟、だね」

　夜空をみつめる。

「今のあなたとは今日でお別れ。明日からは少しずつ……こういう関係じゃなくなっていくんだって」

　そのまま透きとおっていきそうな儚い横顔。ぼくは繋ぎ留めるように夜気を震わせた。

「じゃあ、ぼくも愛美も、これからだ」

「うん」

「同志だ」

「だね」

「がんばろう」

ぼくは握ったこぶしを差し出す。愛美が目で問いかけてくる。

「こぶし、がつんって合わせよう」

「お。男の友情みたい」

「いいだろ」

「いいねえ」

外灯がぼんやり落ちる夜の道で、ぼくたちはこぶしをこつんと合わせた。照れ笑いを浮かべながら。

「愛美」

「ん？」

「愛してる」

「うん」

ゆっくりと、離した。

「星」

恥じらいを隠すみたいに、愛美がはしゃいだ声で空を指す。

「何座だろうね」

「星はわかんないなぁ」

とりあえず明るい星をみつめていると、

「……『ぼくたちはすれ違ってなんかいない』」

隣で愛美がそらんじる。

「『端と端を結んだ輪になって、ひとつにつながってるんだ』」

振り向いてくる。

「最初の日……二十三日に、あなたがわたしに言ってくれた言葉」

そんな気はした。

だってそれは、ぼくの心の地層であと少しのところまで来ていたものが掘りおこされた、そんな感覚がしたから。

「その日の夜、これからを思って不安になったわたしに言ってあげて」

掘りおこされた言葉は、夜に浮かぶ微笑みとともにくっきりと刻まれた。

「約束する」

そしてぼくは、愛美との残された日々を大切に過ごしていった。

2

大学は最低限のものだけ出て、あとは愛美といろんな場所へ出かけた。金閣《きんかく》へ行った。清水《きよみず》に行った。背伸びして高い天ぷら屋でランチを食べた。大学の学食で食べた。

それはだいたいがメモ帳どおりの行動だったけれど、むしろそれをネタにして楽しんだ。

「おはよう高寿くん。本日のきみの予定を発表します。……わたしと銀閣寺《ぎんかくじ》へ行きます」

「了解であります」

なにげないテンションで、笑ったり、おいしいねって言い合ったり、けれどふとした瞬間をいとおしんで、愛美のいる美しい風景を目に焼きつけた。

5月15日

雨の日は、アパートの部屋で一緒に過ごした。

「ほんと、ヘンな感じだなぁ」

「んー？」

愛美が座卓で原稿を読みつつ応える。

「ぼくはもうきみからの感想をもらってるのに、きみは今、その原稿を読んでるなんて」

愛美は小さく苦笑する。

ぼくは特にやることがないので、布団の上を転がりつつ愛美を見ている。あの原稿の厚さだと、公園のシーンに差しかかったあたりだろうか。

「感想は手紙で書くんだよね、わたし」

「そう」

そのとき、ぼくはふと思った。

今、あの手紙は存在しているのだろうか？

手紙をしまった収納の段ボールをみつめる。起き上がった。

「どうしたの？」

「もらった手紙、あるのかなって」

すると、愛美も神妙な面持ちになって原稿の上に手を置く。

ぼくは段ボールの前に屈み、ごくりと息を飲んで、開けた。中を覗くと——

「……あった」

記憶どおり、昔描いたマンガと同じ所に水色の封筒が置かれていた。

愛美が後ろに来て、ぼくの肩越しに覗き込む。

「それ？」

「うん」

「わたしが書いたやつ」

「そう」

「………不思議だね」

「な」

ぼくはそっと手を伸ばし——封筒を取り出す。普通の感触。

「愛美、持ってみる？」

「こわいよ。何か起こったらどうするの」

たしかに、何かが起こってもおかしくない。

「どうする？　中の文章だけ見とく？　……変えたくないんだろ？」

すると、愛美は少し迷ったあと、

「じゃあ、作品を読んで、感想を書いて、そのあと答え合わせをしよう」

「どうして？」

「最初から丸写しなんてやだよ。感じた素直なこと、書きたいじゃない」

自分との戦いだ。そうおどけて、愛美は座卓でまた原稿を手にする。

ぼくはそんな彼女をちょっと眩しくみつめて、封筒を元の所へ置く。

そのわきに、箱があった。写真の入った、文庫本くらいの銅色の箱。

「………」

開けてみた。

中にはちゃんと写真が入っていた。宝ヶ池を背景に、ぼくと愛美が並んだ写真。

八日後に迫った、最後の日のぼくたちの姿。

意識していなかった雨音が、ふいに耳に入り込んでくる。そのまま沈んでいきそうな錯覚がして、ぼくは箱を戻した。

コーヒーでもいれようと立ち上がる。

台所でインスタントの瓶を持ち上げたとき——視線を感じた。

愛美がこっちを向いて「わたしも……」というおねだりビームを飛ばしている。そのせつなげな表情の甘え感といったら、離れているのに袖をつままれている錯覚がするほどだ。

「はいはい」

愛美がぱっと顔をほころばせる。

「ブラック？」

「んー、今は甘いカフェオレの気分かな」

「了解」

ぼくは手鍋に水を入れていく。ポットがないから、湯はこうやって沸かす。

できたカフェオレを、愛美の前に置いた。

「ありがとう」

愛美はカフェオレをふうふうしながら一口すすって、

「うーん。いいねぇっ」

上機嫌につぶやいた。

「こういうの、憧れてたんだ」

「こういうの？」

「お茶いれてもらったり、お世話されるっていうか。――あっ、タオルで髪をごしごし拭いてもらうのもいいな。今度やってよ」

「機会があれば」

「なによー」

ぷぅ。という感じでむくれる。かわいい。

ぼくは自分のマグカップを座卓に置いた。そして、愛美の華奢な背中を、そっと後ろから抱きしめる。

愛美は何も言わずいつもの受け容れる気配をにじませた。しっくりとくる温かさとやわらかさ。手入れの行きとどいた髪と肌のにおい。愛美が確かにここにいるという感触。

肩口に顔を埋めて、じっと、降り続く雨音を聞く。

愛美がぼくの頭を撫でてきた。

「よしよし」

それをきっかけにして体を離す。

「ね、何か弾いてよ」

「いいけど」

ぼくはキーボードの前に座る。台やイスなんてなく、積み上げた雑誌の上に置いたキーボードの前で床座りだ。スイッチを入れ、チャチなペダルを膝立ちで踏み、音を鳴らす。

この天気なら、あの曲しかないだろう。

「……何？　いい曲」

「ショパンの『雨だれ』っていう曲」

「へぇ」

愛美は隣の世界の人だから、こっちの有名人はほとんど知らない。

「ほら、この連続してるラの♭が雨の音を表してるんだ」

「なるほど。いいね、情景が浮かぶ絵みたいな曲だね」

「だろ」

ぼくがまた弾きはじめようとしたとき、愛美が原稿に目を落としたまま、

「ねえ高寿。これだけは今言っておくね」

「なに？」

「これ、面白いね」

「ありがとう」

二人で過ごす六畳間に、ぼくのつたないショパンがゆっくりゆっくり、流れる。

5月22日

会うなり、愛美が泣きそうな顔をした。

「どうした？」

愛美は「ううん」と首を振る。

丹波橋から淀屋橋行の特急に乗り、並んだイスに腰掛ける。平日のラッシュも過ぎた時間だから、車内はとても空いていた。

隣に座る愛美のまなざしに気づく。いっぱいに開いて、ぼくをいっしょうけんめいに見ようとしているまなざし。

ふと既視感に襲われる。前にもこんなまなざしを向けられたことがあった。あれはいつだったろう。

「枚方《ひらかた》ってどんなところ？」

愛美が、これから行くぼくの地元について聞いてきた。

「ひらかたパークっていう遊園地が有名かな。ひらパーっていって、最近ネットのニュースでたまに出たりする」

「へえ」

「あと、ツタヤの発祥地」

「ツタヤって、あのレンタル屋さんの？」

「そう。駅前に一号店がある」

「やるね枚方」

「まあ、普通のベッドタウンなんだけど」

会話が一段落して、ぼくは窓の外を眺める。一人暮らしする前は毎日のように見ていた八幡《やわた》市に向けての鉄橋が、ちょっと懐かしかった。

そしてふっと、既視感の答えに気づく。

愛美に声をかけた日、あの葉桜の宝ヶ池を歩いていたとき、彼女はこんないっしょうけんめいなまなざしをしていたんだ。

ぼくは振り向く。愛美は逸らさず、まっすぐみつめ続けてくる。

それはきっと愛美が昨日、別れるときのぼくと会ってきたから。だからそんな大切そうな目をしているのだろう。

残り二日。

明日、別れの日――。

焦る思いはありながら、ぼくはまだ感覚が追いついていなくて。

今日の空のような穏やかさで、粛々と時が流れていってしまう。

駅から乗ったバスを降り、ぼくたちは親の営んでいる自転車屋に向けた細い通りに入る。

このあたりを歩くのは、ぼくもずいぶん久しぶりだ。

「小学生のとき、サッカーやってたのは話したよね」

「うん」

「その帰りに、いっつも通ってた道でさ」

へえ、と愛美は興味深そうにまわりを見る。

「ここに書店があったんだ。初めて少年ジャンプを買った」

「うん」

「ここで初めて通帳を作ったんだ」

「うん」

歩きながら、ひとつひとつ指さしていく。

「高寿の生まれ故郷なんだね」

「……そうだな」

言われると、本当にそうだなと感じた。

十字路に差しかかると、右の曲がり角で、たこ焼き屋がやっていた。

——ここ、まだやってたんだ。

「なんかいいね」

愛美が反応する。

「ちゃんとした屋台とかじゃなくて、地元密着っていうか、すごい趣がある」

「あそこ、昔からやってるんだ」

言ったとき——気づいた。

十年前、サッカーの帰りに愛美とここで、たこ焼きを食べた。

でもあれは愛美にとっては未来の出来事で、だから愛美は、今日が初めてなんだ。

「わっ。三十個でこの値段!?」

透明なガラスのカウンターに張ってある値札の安さに驚いている。

「たこ焼きっていうのは本来、こういうものなんだよ」

ぼくは教える。

「安くて、あんまりきちんとしたのじゃなくて、駄菓子屋で一個一〇円で売ってるような、そういうふにふにして、なんだかおいしいもの、みたいな」

「へぇーそうなんだ」

愛美はなにげなく聞いていた。

たこ焼きを買うことにした。

焼いているおばさんも、少し白髪が増えたくらいで、記憶と変わっていないように見える。

「すいません、三十個ください」

「そんなに大丈夫？」

愛美が聞いてくる。

「愛美も十個くらい食べるだろ？」

「たぶん」

「なら余裕だよ。ガキの頃やりたかったんだ。ここでこの『30個』を買うの」

「あー、その感覚はわかる」

パックを二つに分けてもらって、屋台のわきのスペースで並んで食べた。

モスグリーンの紙に包まれた白いスチロールのパック。爪楊枝で、くっついたたこ焼きをはがして食べる。懐かしい。何も変わっていない。

「おいしいね」

「ああ」

「なんか地元の味って感じ」

愛美が顔をほころばせ、はふはふとたこ焼きを食べている。

「あ、あつい。あつい」

コミカルな動きで足をトントンさせた。

その姿が、あの日の彼女と重なって……ぼくは、はっきり理解した。

あれはたしかに、きみだったと。


細い通りを抜けると車道が横たわっていて、向こうの筋にぽつんと自転車屋がある。

「あれ」

ぼくは指さす。

「あ、南山サイクルって書いてあるね」

今日この時間帯に彼女を連れて行くことは、知らせてあった。

車道を渡って、開け放たれた店の入口に差しかかったところで、母がこちらに気づいた。

ぼくは迷う。ここは店で実家じゃないから「ただいま」でもないし、かといって親相手に軽快な挨拶なんて出せなかった。

「はじめまして」

愛美らしいアクティブな気遣いで、母に突破口を開く。

「はじめまして」

母も社交的なスマイルで応じた。

そして中に入る。作業用に敷いたお古の絨毯に染みこむオイルの臭いがした。

昔から使っているオフホワイトのカウンターテーブルにつく。

「これ、つまらないものですが」

愛美が手土産のお菓子を差し出す。

「まあ、ありがとう」

ぼくは逆さに固定された修理中の自転車を見て、

「……親父は？」

「タバコ買いに」

「そう」

母がお茶を入れ、愛美の持ってきたお菓子をよそった。

テーブル越しに向き合い、変な間が生まれる。

とりあえず先に紹介しておこうと思ったとき――父が帰ってきた。いつもの七三分けで、グレーの作業着をきている。

「はじめまして」

愛美が腰を浮かせて、頭を下げる。

「ああ、どうも」

父もよそ行きの愛想のいい笑顔で応じた。

向かいに父と母が並ぶ。

ぼくの隣には、初めてできた恋人がいる。

恥ずかしい。さっさと終わらせて帰りたい。普通なら……そう感じたのかもしれない。そもそも、こんなことしようなんて考えなかっただろう。

けど、愛美との別れが迫っていると思ったとき。

最初で最後だと思ったとき。

「福寿愛美、さん」

ぼくは、メモ帳をたしかめるまでもなく——

「俺の、彼女」

親に愛美を会わせておきたいって感じた。

「親父とお袋」

愛美に、ぼくの家族を見せておきたいって思った。

「いやほんと、きれいな子でびっくりしたわ」

母が賑やかすように言うと、愛美が「いえ……」と恐縮した。

それから馴れ初めの話になって、駅で声をかけたと言うと、父も母もとても意外そうにした。「一目惚れをした」と話すぼくを、愛美が隣でみつめていた。

「よかったねぇ」

母が言って、横の父に「ねえ？」と振る。

父はなんというか、息子の成長を感慨深く見る目をしていた。さすがに居心地が悪い。

「お父さん、高寿に何か言うことないの？」

母の言葉をきっかけに、父とまともに目が合う。

すると、よそ行きの顔がふっと消えて、家で見ていた無愛想な表情になる。

ぼくもそうなっただろう。

「……金は足りてるか」

「……まあ。バイトやってるし」

「足りなくなったら言え」

「……うん」

経済的な不自由だけはさせない。父は事あるごとにそれを言う。

「あんた、ちょっと痩せたわね」

母が入ってきた。

「そうかな」

「そうよ。福寿さん、高寿のことよろしくね？」

よろしくね。未来を指す言葉に愛美は、ぼくにしかわからない刹那《せつな》の揺らぎを滲ませたあと、

「はい」

と、そつなく微笑んだ。

「こんないい子、あんた二度と会えないだろうから、逃がしちゃだめよ」

母の茶化す言葉に、ぼくは愛美にしかわからないだろう揺らぎを抑えたあと――

「俺もそう思う」

と、苦笑した。

ほどなく、帰る頃合になった。

父がトイレに行ったあと、母がこんなことを明かしてきた。

「お父さんね、あんたが来るまで『高寿はいつ来るんだ、いつ来るんだ』ってずっと落ち着かなくて、そのへん掃除とかしてたのね。タバコ買いに行ったのも、そう」

「………」

「今度、帰ってきなさい。福寿さんも一緒に」

ぼくはいろんな感情で胸が締めつけられて、曖昧な表情を浮かべることしかできなかった。

誰もいないバス停のベンチに掛け、ぼくたちは静かに手をつないでいた。

今日は本当に歩いているだけで気持ちがいい天気で、ぼくの心も今は穏やかに凪いでいる。

「なんで丹波橋だったのか、わかった気がする」

ぼくのつぶやきに、愛美が振り向いてきた。

「一人暮らし、大学のすぐ近くにしないで、中間くらいの半端な場所にしたのか」

「どうしてなの？」

「……実家から離れすぎるのが怖かったのかもしれない」

そう。

「思ってたより、ぼくは家とつながってるのかもしれない」

愛美が少し強く握ってきた。親指で、ぼくの手の甲をやさしくこすってきた。

振り向くと、目が合う。

涙が溢れた。

凪いだ気持ちでいたはずなのに、愛美のやさしさや、あたたかさや、ぼくをみつめる美しくて聡明な瞳を感じたとき、奥から真実がこみ上げてきた。

「……どうして愛美とは家族になれないんだろう……」

悲しみが。絶望が。ぼろぼろと溢れて落ちていく。愛美と家族になって、ずっと寄り添って生きていく。そんな未来が、どうしてぼくたちにはないんだろう。

泣いたぼくを見る愛美のまなざしが引きつれ、熱く潤む。

「……ごめんね」

「なんで謝るんだよ……」

「……うん……でも……ごめん……」

「ぼくも……こんなつもりじゃなかった、のに……」

穏やかな午後のバス停で、ぼくたちは手をつなぎながらひたすら泣いた。

時刻表から一分遅れでバスが来た。

今日が終わっていく。

最後の日が来てしまう。

5月23日

丹波橋に、淀屋橋行の始発が着いた。

がらんとした改札口で待っているとほどなく、階段を上ってくる愛美が見えた。

誰もいない構内で目が合う。

ぼくはいつもどおりにしようと、これまで何度となくそうしてきたように軽く微笑みながら手を挙げる。

すると愛美はいつもどおり馴染んだ笑みで応え——なかった。

そこに浮かんでいたのは、とても久しぶりの相手を目にしたときの、遠慮を含んだ照れ笑いのようなものだった。

「——そっか」

ぼくはショックを隠すため、あえて軽いトーンを出す。

「愛美にとっては、これが『最初』なんだよな」

「うん……」

愛美の言い方には、まだ距離感に迷っている響きがあった。ぼくに向けてくる表情と空気が初々しくて、心なしかあどけなく感じる。

「やっぱり隠せないですよね」

申し訳なさそうに言う愛嬌のあるしぐさがとても愛美らしくて、それがなんだかつらかった。

「大丈夫。昨日さんざん悲しんで、心の準備はしてるから」

強がりだと自分で感じた。

「今日は慣らし運転みたいなことをするって聞いてるけど?」

「明日の──昨日の私に、ですよね」

「そう」

「はい。だからまずはその、お部屋に」

「わかった。行こう」

ぼくは踵を返して、いつもどおり手をつなごうと差し伸べる。一瞬遅れて、はっとなった。

愛美はぼくの手をみつめて、軽く固まっていた。

「あ、ごめん」

引っこめようとしたとき、つないできた。

「慣らしです」

つぶやく頬が、はっきりわかるほど紅くなっていく。

ぼくはいつのまに自分が年長者のような視点になっていることに気づいた。それは愛美がまだ同い年であることに慣れていなくて年下の態度で接してくるからだ。

同じ時を過ごした四十日の終わりの日、ぼくと愛美の逆転が垣間見えた。

部屋の中を、愛美が丹念に見て回っている。狭いスペースをぐるりと歩いたあと、

「お茶いれていいですか？」

「ああ」

インスタントコーヒーや砂糖やマグカップの位置を確かめていく。ポットを探してるようだ。

「ポットとかなくてさ、その手鍋で湯を沸かしてるんだ」

「へえ」

珍しそうな反応をしつつ、手鍋に水を入れていく。ひとつひとつ集中して学習している目。

「コーヒーの粉はどれくらい入れてます？」

「普通」

「……これくらい？」

カップの底を見せてきた。

「うん。こんなことまでするんだ」

「もちろん」

作業を進めるときのテキパキとそつのない感じ。「普通」と伝えたときの、量の感覚の良さ。

「愛美っぽい」

「ぽいじゃないよー」

ガスの火が噴く安定した音が響く。

愛美が鍋に張った水に視線を落としながら、

「わたしたち、ほんとに恋人になったんですね」

とつぶやいた。

「なんか、わかりました」

「ちなみにひとつ教えておくと」

「はい？」

「コーヒーをいれる回数は、ぼくの方が圧倒的に多い。というか、きみはめったにいれなかったな」

それを聞いたときの驚いた表情はなかなか見物だった。

きみはまだ知らない。自分が恋人に対してはそうとうに甘える質で、風呂上がりに髪を拭いてとか、子供みたいにねだるようになることを。

　愛美が座卓の上で、真新しいシステム手帳を開いた。

「今日まであったことを、できるだけ詳しく聞かせてほしいの」

　ぼくが何も書かれていない手帳と彼女を見比べると、愛美はバッグからあのメモ帳を取り出して、置いた。

「あなたが見たこっちは、ダミーなの」

「え……？」

「ダミーって言うより、五年前にあなたから聞いた大まかなこと。でもわたしがこれから本当に使っていくのは、記憶が鮮明な今のあなたに聞いて作るもっと厳密なもの」

　ぼくは驚きつつ、どうして、とは聞かなかった。

「あなたとの歴史を変えたくないから」

　そう言うのがわかっていたからだ。

「だから、思い出せることは全部話して。わたしたちが何をして、どんなやりとりをして、わたしがどういう失敗や失言をしたか。携帯電話の履歴も見せて。時刻を書き写すから」

真摯《しんし》なまなざしに気圧されながら、ぼくは三時間余りにわたって、この四十日間のことを思い出せる限りに話した。

勇気を出して声をかけたときのこと。初めてのデート。告白。一緒にいろんな場所へ行ったこと。大学の教室で秘密を打ち明けられたこと。乗り越えるまでのこと。手をつないだこと。キスしたこと。抱きしめ合ったこと――。

「……ありがとう」

愛美が細いボールペンを置く。

ぼくはぐったり脱力しながら、ここへ来て知った事実に打ちひしがれていた。

ぼくが知ったのは、愛美のうっかりした失言や動揺のすべてがわかった上でやっていたという、今となっては些細な事実と――

昨日までの三十九日間に及ぶ、彼女の献身だった。

だって、違和感なかった。

昨日までの間、一緒にいて今日みたいな決定的な違和感に晒されることがなかった。

それはよく考えたら、おかしなことなんだ。

愛美が今日のうちにしっかり「慣らし」と「予習」をしておいてくれたから、昨日までのぼくは残された日々を余計なことを気にしないで惜しむことができていたんだと、そう――打ちひしがれた。

「……それじゃ愛美はちっとも楽しくないじゃないか」

ぼくの声は半分泣きそうにかすれていた。

「そんな細かい台本どおりにやっていったら、愛美はぜんぜん楽しくないじゃないか」

これからの彼女に比べたら、ぼくはなんて楽しかったんだろう。今日までの喜怒哀楽をどれほど無邪気に味わえただろう。

それはぜんぶ、愛美が頑張ってくれていたからなんだ……。

「そんなことないよ」

愛美が穏やかに笑む。

「一緒にいるだけで嬉しいし、何があるかわかっていても、楽しいものは楽しいよ」

「でも」

「うーん……ほらっ」

愛美がぼくの腕を取り、もたれかかってきた。

「こういうことは好きにできるんだから、なんの問題もないよ」

「…………」

きみは本当にすごい。

もう、いつもの愛美との感じになりつつある。

そして、そのとっさの機転。きみはやっぱりできる子だ。

ぼくはこの、ぼくにはもったいなさすぎる恋人を、たまらず抱きしめた。いとおしんで、頭の後ろに掌を当てて、撫でた。

愛美は心地よさそうに息を吐き、胸を薄くしながらつぶやく。

「ほんとうに、なんの問題もないなぁ」


一緒に商店街で買い物をした。

部屋に戻って、少し早めの昼食を作ってくれた。

夕方までには出かけて、そしたら今日はもう帰ってこない。

だから愛美が台所に立って料理する姿はこれが最後だと、目に焼きつけた。

最後の料理を、味わって食べた。

おいしくて泣きそうだった。


三条を歩いた。

よく一緒に行った店と、歩いた道を、ひとつひとつ案内していった。

手をつないだ。たくさん話した。

できるだけ目に映していたくてみつめ続けていたから、愛美は時々くすぐったそうにうつむいた。

叡山電車に乗った。

「高寿はここに座っていたの？」

「そう」

四十日前、宝ヶ池で声をかけた日のことだ。

「わたしは？」

「ええと……あそこ」

「はっきり覚えてるんだね」

「そりゃ……そうだよ」

空いた車内に『宝ヶ池です』というアナウンス。

窓の外の陽差しは、傾いた色になっている。

「きみがこの段差を下りようとしたとき、ぼくがうしろから声をかけたんだ」

ホームの低い石段を指すと、愛美は手前まで歩いていった。

狭い自転車のパーキングに植えられた桜は、すっかり緑の葉を茂らせている。

「リハーサルでもする?」

ううん、と愛美が首を振る。

「楽しみに取っとく」

そのうしろすがたが、あの日と重なりそうだった。

けれど彼女の髪はあのときよりもだいぶ長くて、桜も完全に葉っぱだ。幸福そうな春の朝でもなく、今は初夏の夕暮れ。

「でも、きっとわたし、かなしくなるね」

淡い空に向けて、すぃとつぶやく。

「今の高寿と同じ気持ちになるんだもんね。泣かないようにしないと」

振り向いてきた愛美が、ぼくの顔を見て刹那、困った顔をする。

「泣いたらだめだよ」

「……泣いてないよ」

そしてぼくたちは、最後の場所に向かう。


空気が、金色に染まっていた。

稀にこういうことがある。大気の加減か何かで、まわりぜんぶが金色に包まれる夕時が。

「——うん、ここだ」

デジカメの液晶を覗きつつ、ぼくは構図をみつけた。

東屋の、バルコニーのような石造りの張出し。愛美が塀にもたれ、池と国際会館を背にしている。

「愛美、もうちょっとこっち」

もう片方の手で持つ写真を見て指示する。それは、ぼくと愛美が並んだ、これから撮る写真。

いま撮ろうとしているものがすでに手の中にあるっていうのは、とても不思議な感覚だった。

「じゃあ撮るよ」

「うん」

タイマーをセットして、塀にカメラを置く。最後に二人で写真を見てポーズを確かめ、写真をポケットに突っ込む。寄り添って、微笑んだ。

「…………撮れたかな？」

フラッシュをたかなかったので、タイミングがわかりづらかった。

「もういいんじゃない？」

二人でデジカメのもとに行って、確認してみる。

撮れていた。

気のせいかもしれないけど……ぴったり同じに見えた。

たしかめようと、ポケットから写真を取り出す。

「……同じじゃない？」

「……だね」

「偶然？」

「わからない」

やわらかく色づいた夕暮れの中で、ぼくたちは不思議な感覚に包まれた。

「なんか変な感じだ」

「すごいよね」

会話の落ち着いた頃合を見計らったように、風が吹いた。

山の黒い影を映す水面が、縮緬皺《ちりめん》のような綾を描く。

その風が、ぼくの隙間を吹きすぎていくような錯覚がした。

これで、最後のイベントが終わってしまった。

あとはもう――別れしかない。

19時33分

「演技に興味が出てきたの」

池のまわりの散歩道をあるきながら、愛美が言う。もうだいぶ暗くて、ランナーともめったにすれ違わない。鴨が羽ばたきながら池に着水し、クキャア、と三度鳴いた。

「今回のことで役に立つかなって調べたら、なんか妙にひかれだして。美容師の学校に行ってるけど、そっちにも通いだそうと思ってるの」

「二つの学校に行くってこと？」

「うん。昼と夜に分けて」

「すごいな」

「んー……なんとかなるよ」

ぼくはふと、子供の頃に会った十年後の愛美を思い出す。

「……なるほど」

「めっちゃがんばる」

愛美はぼくの相づちの意味に気づいていない。でもそれは内緒にしておいた方がいいだろう。

「でも愛美、上手かったよ」

ぼくは代わりに言う。

「今日までぜんぜんわからなかったし、今もさ……忘れそうになるくらい、馴染んでるから」

「それは」

言いかけた続きをやめ、愛美はひと呼吸置いて──

「あなたは私の……王子様だから」

透きとおった横顔で言った。

「ずっと憧れて、そうなれたらいいなって夢見てて……だから十五の時それを聞かされた瞬間は泣きそうなくらい嬉しかった。だからね……」

円い光のような印象で微笑む。

「恋人になるのは、すごく簡単なの」

22時5分

コーヒーの缶ボトルの飲み口から洩れる香りが、夜の東屋に薄く広がる。

ぼくたちは話すこともやめて、ただみつめあう時間がほとんどになった。あたりはもう真っ暗で、ぼくたちの他には誰もいない。遠くの車道を行きかう車の音が、ぼんやりした吹雪のような響きで届いてくる。真下の池で、鯉が跳ねた。

「寒い？」

「大丈夫」

愛美がぼくをみつめたまま応える。握った缶は、ぼくと同じホットコーヒーだ。夜になって、ぐっと冷えてきている。

「……この缶、取っとこうかな」

ぼくは言った。

「愛美のも一緒に」

「やだ、ヘンタイっぽい」

久しぶりに、くすりと笑う。

「だめかな」

「洗わなきゃダメだよ？」

「うん」

「……ねえ」

「ん？」

「やっぱりちょっと寒い」

愛美が肩にもたれかかってきた。

手をつないだ。

23時57分

丸い外灯が、広大な池を囲んでぽつんぽつんと浮かんでいる。

その光が黒い水面にひとすじひとすじ輝きを下ろしていて、まるで光の蠟燭が並んでいるように見えた。

外灯と樹のちょうど重なったところは、樹木の輪郭がぼうっと七色に滲んでいて、天体写真で見た遠い星雲に似ている。それがいくつも浮かんでいる。

まるでたくさんの世界を見渡す神秘的な場所だと思えた。

ぼくは愛美と石の塀にもたれて短い時間それを眺め、久しぶりに、怯える手つきで時刻を確かめた。

吐きそうになった。

愛美を抱きしめた。

腕の中で存在を確かめながら、その目に彼女の姿を映していないことが不安になって離れた。どちらも満たせるものはないかと迷って、両手を握った。

「……しあわせだなぁ」

愛美がじんわり目を細める。

「ずっと恋してたあなたから、こんなにもわたしを愛してるって心が伝わってくる。わたし絶対、いま人生で一番しあわせだよ。潤ってるよ」

ぼくを映す瞳が光って、透明な雫を落とす。

「……ここがピークなんだね。わたし、これから少しずつあなたの過去に戻っていって、あなたと恋人じゃなくなっていくんだね。……すれ違ってくんだね」

「すれ違ってなんかいない」

ぼくは約束を果たす。

「ぼくたちはすれ違ってない。端と端を結んだ輪になって、ひとつにつながってるんだ」

愛美の手を握りながら。

「二人でひとつの命なんだ」

愛美はぼくの言葉を寄せる波のように受けとめ――うん、とうなずいた。

その姿がふいに儚く感じられてきた。

「高寿」

「……ん？」

「わたし、いい恋人だった？」

「ああ」

「今日まで、楽しかった？」

「すげえ楽しかった」

「そっか……」

またうん、とうなずいて涙をぬぐう。いつもきちんと上げている睫《まつげ》が濡れている。

ぼくをまっすぐみつめてくる。

愛美が消えていこうとしている。

「でも、でもね……いいから。新しい恋人を作って……高寿……しあわせになってね。………ね？　お願い……」

おもいきり抱きしめた。そんなこと考えられなかった。ばか、と言った。

「ああ……ああ……しあわせ……だなあ……っ」

ぼくの耳許で、ほんとうにしあわせそうに、悲しそうに、声を洩らす。

「愛美……っ」

ぼくは彼女の背中を濡らしながら、せいいっぱいの心を贈った。

「ありがとう。ありがとう。……ありがとう」

「うん……うんっ……わたしも……わたしこそ……好き！　あなたのことが大好き！」

こぼれ落ちていくものを掬《すく》うようにかき抱く。

「……愛してる」

愛美の奥底が震えたのが伝わってきた。

「わたしも……わたしも……」

そっと体を離して、みつめる。

愛美は、明け方の月のように儚く消えゆこうとしていた。

だから最後にきちんと言った。

「ぼくはきみを愛してる」

愛美は円く光る印象の福笑いを浮かべて。


消えた。

遠くの車道の吹雪のような音。
東屋の下で水が軽くぶつかる音。
なにひとつ変わらない真夜中の静けさに佇みながら。
ぼくは泣いた。

エピローグ

五歳の夏休み、福寿愛美はパパとママに連れられて「となりのせかい」に家族旅行へやってきた。

となりのせかいのことは幼稚園でも聞いたことがあって、その不思議なところへ行けるとわくわくした。友達のさとこちゃんに話すと「へー」と普通のテンションで返され、あっさり別の話題になったけど、それでも愛美はわくわくしたし、楽しみにしていた。

けれど、いざ来てみると自分の住んでいる町とほとんど変わらない。

パパとママは「本当に逆になるんだ」とか楽しんでいたみたいだけど、愛美にはよくわからない。大人しか楽しめないのかなと思った。これなら遊園地の方がずっとよかった。

つまらなそうにしていたせいか、パパとママが「大きなお祭があるから行こう」と連れていってくれた。

夕暮れの神社に屋台がたくさん並んで、自分と同じ浴衣姿の人たちで賑わっていた。ランプがきれいだった。美味しそうな匂いがした。

愛美はものすごく楽しくなった。

金魚すくいをした。じゃがバターを食べた。ラムネを飲んだ。

はしゃぎながら歩いていると、いつのまにかパパやママとはぐれていた。

きょろきょろ歩いて捜す。不安になって泣きそうになったとき——雨が降ってきた。

いや違う。

変な臭いがする。かかったみんなが変な顔をしている。誰かが「ガソリン？」とつぶやいた。

そのとき、人をかき分けて男の人が目の前に来た。

「爆発するぞ!!」

彼が叫んだ。屋台の前に立ちながら、そこから離れろと言うふうに腕を払う。

「逃げろ！　早く!!」

愛美は彼に手を摑まれ、引っぱられた。

瞬間——愛美は特別な感覚に貫かれた。

手のふれた瞬間に。はじめからわかっていたように。

とても壮大なものの全貌が刹那に駆け抜けていったような——……感覚。

爆音。炎。

愛美はかばうように抱きしめられた。彼の大人の肩越しに、熱風が吹き過ぎるのを感じた。

悲鳴、どよめき、「避難をお願いします」というスピーカーのアナウンス、人のうねり。

でも、愛美の意識にはぜんぜん入っていない。

目の前の男性だけが、映っていた。

「大丈夫？」

ぼんやりしたまま、うなずいた。

彼がほっとした表情を浮かべる。

でもそれは目にしたことのない質感で、押し寄せてくる波のように、自分のことを大切に思ってくれていることが伝わってきた。

――このひとだ。

愛美は純粋な本能で感じとった。

この人は自分にとって、特別な人だ。

彼が後ろの様子を確かめる。燃え上がる屋台の幌と、湧きたつ黒煙。熱と異臭。あそこにいたら死んでいただろうなと思った。

「よかった。たいしたケガをした人はいなそうだ」

彼の低い声が心地いい。

そのとき、人垣の中からパパとママが見えて、目が合った。

愛美は安心して、そして、不安になった。

この人は親と合流しても一緒にいてくれるのだろうか。まだまだ一緒にいたい。

なのに、振り向いてきた彼の顔から、去り際の気配が漂ってきた。

彼が頭に大きな手を置いてきて、形を確かめるようにやさしく撫でた。

「……さようなら」

どうしてそんな目をするのだろう。

深くて、さみしそうで、他にもたくさんのものが混じり合っているけれど、五歳の愛美には理解できない。

わからない。わかりたい。

彼がふいに「そうじゃなかった」というふうに首を振る。

撫でていた手が滑り落ちて、愛美の丸い頬を包む。彼が息を吸い、微かに肩が上下する。それから。

「また会おう」

彼が立ち上がる。

横を通り過ぎて、後ろへ去っていく。

愛美は弾かれるように振り向いた。

「また会える？」

すると彼も振り向いて、笑顔でうなずく。

「また会えるよ」

そしてまた歩きはじめ……人波に紛れ、見えなくなった。

２０１０年　4月13日

……愛美は、五歳のあの日のことを思い出しながら、アパートの階段を上った。

三階の細い通路に、緑色のドアが並んでいる。

五番目のドア。

その部屋にはまだ入居者がおらず、ドアノブに電気やガスの申込書が掛けられている。

今日は朝からあたたかい春日和で、町の桜は花が半分くらい残っている。

四月十三日。

最後の日。

愛美は彼との思い出がつまったドアに掌をあて、まぶたを閉じる。

微かに睫を滲ませた。

目を開けて、自分を奮い立たせるように、笑んだ。

そしてまた歩きだす。

彼にいつも送ってもらった駅までの道のりを。

何度も通った駅の改札、ホームまでの階段。

八時一分着、出町柳行特急、一番後ろの車両、二番目のドア。

最後に確認して、四十日間お世話になったシステム手帳をしまう。

列の最後尾に並ぶと、ほどなく電車が着いた。

ドアが開く。

ぱらぱらと人が降りたあとに、列が車内に入っていく。ものすごい混雑だ。

愛美はドアをくぐりながら気合いを入れる。うまく流れに乗らないと。目指すところへ行かないと。

波に乗って、愛美はスーツや制服の背中につっかえそうになりながら、うんしょうんしょと車両の奥へ進む。

行く手の隙間に、吊革を持ちつつ一人だけやる気に満ちた目をした男の子が見えた。

そして。

――高寿。

彼のもとに、辿り着いた。

この物語はフィクションです。もし同一の名称があった場合も、実在する人物、団体等とは一切関係ありません。

本作品は宝島社文庫のために書き下ろされました。

宝島社
文庫

ぼくは明日、昨日のきみとデートする
（ぼくはあす、きのうのきみとでーとする）

2014年 8 月20日　第 1 刷発行
2016年 2 月 5 日　第18刷発行

著　者　七月隆文
発行人　蓮見清一
発行所　株式会社 宝島社
〒102-8388　東京都千代田区一番町25番地
電話：営業 03(3234)4621／編集 03(3239)0599
http://tkj.jp
振替：00170-1-170829（株）宝島社
印刷・製本　株式会社廣済堂

ISBN 978-4-8002-2610-5

『このミステリーがすごい!』大賞 シリーズ

宝島社文庫

インサイド・フェイス 行動心理捜査官・楯岡絵麻

佐藤《さとう》青南《せいなん》

しぐさから嘘を見破る美人取調官、楯岡絵麻は、離婚した元夫に刺されたという被害女性の証言により、被疑者の取調べをはじめる。やがて、ふたりの娘が三年前に殺されていた事実を知る。筆談でしか応じようとしない被疑者の不可解な行動にある可能性を感じ、調査に乗り出すが――。

定価：本体660円＋税

宝島社文庫　好評既刊

宝島社文庫

筆跡鑑定人・東雲《しののめ》清一郎は、書を書かない。

谷《たに》 春慶《はるよし》

東雲清一郎は、大学一の変人でアンタッチャブルな存在。著名な書道家でもある彼は、筆跡鑑定のバイトもしている。しかしそこには秘密があって……。「文字は嘘をつかない。本当に鑑定していいんだな?」。鎌倉を舞台に巻き起こる文字と書、人の想いにまつわる4つの事件を描いた短編ミステリー。

定価：本体650円+税

警視庁「女性犯罪」捜査班
警部補・原麻希
5グラムの殺意
吉川英梨
Eri Yoshikawa
宝島社